Quatre destins

Daniel Sernine

Éditions Paulines

DU MÊME AUTEUR,
DANS LE CYCLE DE *NEUBOURG ET GRANVERGER*:

Le Trésor du "Scorpion" (collection Jeunesse-Pop, Éditions Paulines)

L'Épée Arhapal (collection Jeunesse-Pop, Éditions Paulines)

La Cité inconnue (collection Jeunesse-Pop, Éditions Paulines)

Les Envoûtements (collection Jeunesse-Pop, Éditions Paulines)

La Nef dans les nuages (collection Jeunesse-Pop, Éditions Paulines)

Quatre destins (collection Jeunesse-Pop, Éditions Paulines)

Ludovic (collection Conquêtes, Éditions Pierre Tisseyre)

Le Cercle violet (collection Conquêtes, Éditions Pierre Tisseyre)

DU MÊME AUTEUR, DANS LA SÉRIE *ARGUS*

Organisation Argus (collection Jeunesse-Pop, Éditions Paulines)

Argus intervient (collection Jeunesse-Pop, Éditions Paulines)

Argus Mission Mille (collection Jeunesse-Pop, Éditions Paulines)

Composition et mise en page: *Les Éditions Paulines*

Illustration de la couverture: *Charles Vinh*

ISBN 2-89039-482-4

Dépôt légal — 4e trimestre 1990
Bibliothèque nationale du Québec
Bibliothèque nationale du Canada

© 1990 Les Éditions Paulines
      3965, boul. Henri-Bourassa Est
      Montréal, QC, H1H 1L1

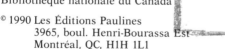

1

La vieille Agathe

Entre, Simon, entre. Tu as amené des amis?
C'est bien. N'ayez pas peur, petite demoiselle,
petit monsieur, je suis vieille mais pas méchante.
C'est sûr qu'on n'a pas une belle apparence, à
mon âge, et qu'on ne mange pas toujours à sa
faim, alors on est maigre. Mais la mémoire reste
excellente, c'est bon signe.

Quel âge j'ai? C'est indiscret, ça, mon petit gar-
çon. Ça ne fait rien, je vais te le dire. Attends,
nous sommes en 1888, j'aurais donc... quatre-
vingt-six ans. Ou quatre-vingt-sept, c'est une des
rares choses dont je me souvienne mal. Voyons...
Simon est né en 1875 — c'est bien ça, Simon?
Et sa mère, ma fille, est née en 1840... Mais oui,
petit monsieur, je suis la grand-mère de Simon,
il a dû te le dire?

Oui, bien sûr. Et il vous a raconté que j'étais
indienne. Ma mère était abénaquise, et ses
parents à elle l'étaient tous les deux, ils s'appe-
laient Abigué et Sicayé. Ils vivaient à Aïténas-
tad, au temps où il restait encore quelque chose

de ce village, au bord de la Michikouagook. Tout près d'ici, de l'autre côté de la rivière, à l'endroit où il y a un petit parc et un très vieux chêne.

Mais je vous ennuie.

Ce n'est pas très joli ici, n'est-ce pas, petite demoiselle? Oui, j'ai remarqué l'air que tu avais en regardant autour de toi. Au grenier d'une petite maison au fond d'une cour du faubourg St-Imnestre... quelle misère! Ça pourrait être pire, je pourrais habiter dans une cave. Ça ferait encore plus « sorcière », non?

Je sais, Simon, je sais: tes amis n'ont pas prononcé le mot « sorcière ». Mais ils ont sûrement entendu des gens parler de moi comme d'une sorcière, non? Je suis diseuse de bonne aventure. Ce que ça signifie, petit monsieur? Je prédis leur avenir aux gens en regardant des cartes, des cartes de tarot, par exemple. Ou en examinant les lignes de leur main. Une boule de cristal? Non, je ne m'en sers pas, tu trouveras ça plutôt chez les dames de la haute-ville.

Vous savez, il faut se méfier du mot « sorcière ». Je connaissais une fille, Anne Vignal, presque de mon âge... Elle avait des pouvoirs, comme sa tante Martine. En rêve, elle voyait des choses qui allaient arriver à ses amis ou à ses proches dans le futur. Mais elle ne permettait à personne de l'appeler sorcière. C'est qu'elle avait tout un caractère, Anne Vignal. Si elle apprenait que quelqu'un avait médit à son propos, elle allait lui dire sa façon de penser et, attention, elle ne mâchait pas ses mots!

6

Mais asseyez-vous, petite demoiselle, petit monsieur. Après tout, vous êtes venus pour écouter des histoires, pas du bavardage de vieille veuve. Simon, débarrasse des chaises pour tes amis. Celle-là, oui, et l'autre, celle qui a le siège un peu abîmé. Tu peux chasser Beaumarquis, il trouvera bien un autre endroit où dormir. Et toi Simon, tu as ta place préférée, n'est-ce pas, sur l'appui de la fenêtre.

Vous trouvez qu'il a un drôle de nom, mon chat? Beaumarquis. C'est qu'il était gracieux, quand il était jeune: un vrai aristocrate. Maintenant, c'est un paresseux qui se néglige. Mais je le garde: il me débarrasse des souris et des rats. Je lui ai donné ce nom à cause de mes anciens patrons, les Beaumarchais: j'ai travaillé chez eux presque trente ans, comme servante.

Ils m'ont éduquée comme ils ont éduqué leurs propres enfants. La sœur de Madame Beaumarchais m'a appris à lire, à écrire et à compter. Ils me laissaient lire les livres de leur bibliothèque, je crois que je les ai tous lus; j'ai vécu chez eux plus d'un quart de siècle, vous savez. J'aimais surtout l'histoire et la géographie. C'est pour ça que je suis plus instruite que la plupart des gens qui habitent le faubourg.

Quoi? Les histoires, oui, les histoires.

J'en ai connu, des gens, en quatre-vingts ans, vous imaginez bien. Des gens de Neubourg, de la basse-ville, de la haute-ville, des gens du faubourg St-Imnestre et de Chandeleur, même des

7

gens de Granverger. Tiens, je vais vous raconter ce qui est arrivé à Philippe Bertin. Lui aussi avait à peu près mon âge, peut-être trois ou quatre ans de plus que moi.

Si nous nous fréquentions? Pas vraiment. Il ne savait probablement pas qui j'étais, moi, simple servante indienne chez une famille de bourgeois. Il ne s'intéressait guère aux « Sauvages ». Mais moi je le remarquais, ce beau jeune homme. Anne Vignal aussi devait le trouver beau garçon, ils étaient amis.

Mais l'histoire que je vais vous raconter se passe plus tard, beaucoup plus tard. En fait, elle se termine en 1858, à l'époque où Philippe Bertin était marié depuis longtemps et avait un fils, un garçon nommé Ludovic.

Si c'est une histoire effrayante? Ça dépend, petit monsieur. Irais-tu te promener la nuit dans un cimetière hanté?

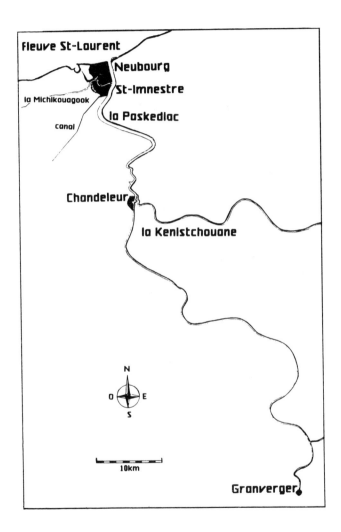

Fleuve St-Laurent

Neubourg

St-Imnestre

la Michikouagook

la Paskediac

canal

Chandeleur

la Kenistchouane

N
O E
S

10km

Granverger

2

Les ruines de Tirnewidd

Peu de gens savent que le premier établissement européen en Amérique fut fondé vers le milieu du neuvième siècle par les Gaéliques venus d'Irlande, et qu'il reste des vestiges de leur cité dans la forêt au sud de Chandeleur.

Depuis les travaux d'un nommé Rafn, publiés en 1837, on croit que l'Amérique fut découverte par des Norvégiens venus de leurs colonies d'Islande et du Groenland. Ils fondèrent, peut-être sur la côte du Maine, un établissement qui n'a pas duré longtemps, le légendaire « Vinland ». C'était vers l'an 1000.

C'est aussi ce que croyait Philippe Bertin, professeur d'histoire au collège de Neubourg. Il s'intéressait beaucoup aux nouvelles découvertes dans son domaine, rêvant d'archéologie et de fouilles. Il ne regrettait qu'une chose, c'était de vivre en Amérique du Nord, où on risquait peu de découvrir les vestiges d'une antique civilisation (les Amérindiens, qu'il nommait

«Sauvages», ne comptaient pas pour grand-chose dans sa vision de l'histoire).

C'est au collège de Neubourg que Philippe Bertin fit la connaissance de Ryan McCald, un Irlandais très savant qui enseignait l'anglais au même collège. La spécialité de McCald était la littérature et l'histoire de son Irlande natale. Il lisait l'ancien gaélique aussi facilement que Bertin lisait le français moderne. C'était un homme maigre, au cheveu rare, buveur et narquois.

Lorsqu'il mentionna à Philippe Bertin, mine de rien, que les Celtes d'Irlande étaient venus en Amérique au neuvième siècle, Bertin crut d'abord qu'il plaisantait. McCald fut obligé de s'expliquer: il avait lu jadis, dans un monastère de Galway, un très ancien manuscrit daté de 850 après Jésus Christ. Le manuscrit racontait l'exode d'une communauté de la côte ouest d'Irlande vers le continent inexploré qui se trouvait par-delà l'Atlantique. Il restait beaucoup de détails que McCald avait oubliés, mais il assura Philippe Bertin que le document devait encore exister.

L'été de cette même année, Ryan McCald devait faire un voyage dans son pays natal. Monsieur Bertin, qui avait quelque fortune, décida de l'accompagner. Ils s'embarquèrent à Halifax sur un navire anglais qui devait faire escale en Irlande. Philippe Bertin séjourna à Limerick, chez les McCald. Galway n'étant qu'à une cinquantaine de milles de là, Bertin put se rendre facilement au monastère. Son ami le recommanda au bibliothécaire et lui traduisit le manuscrit au complet — bien que le document fût en très mauvais état.

En huit cent quarante et quelques, les Vikings, venus de leurs fjords et de leurs îles, achevaient de conquérir l'Irlande. Devant cette invasion, une communauté de la côte ouest décida de fuir vers le continent inexploré. Il s'étendait à l'ouest de l'océan, les pêcheurs le connaissaient depuis des générations.

Embarquée sur plusieurs navires, l'expédition traversa une mer exceptionnellement clémente. Elle fit escale trois fois. D'abord sur une côte aux rudes paysages qui était sans doute celle de Terre-Neuve. Puis sur des rivages roux dominés par des falaises verdoyantes, probablement à l'Île du Cap Breton. La troisième escale se fit en Gaspésie — toujours selon ce que Philippe Bertin put déduire des descriptions très précises que donnait le manuscrit car, évidemment, ces rivages étaient tous mystérieux et sans nom pour les exilés celtes.

Ensuite, les vaisseaux s'engagèrent dans l'estuaire d'un très grand fleuve. Ils le remontèrent jusqu'au confluent d'une rivière coulant du sud-est, près d'un cap qui avait la forme d'une tête de loup. Le chef de l'expédition décida de remonter cette rivière jusqu'à l'endroit où elle cesserait d'être navigable, et d'établir une colonie sur ce site.

Les voyageurs ne s'entendaient pas tous entre eux. Un petit groupe de mécontents quitta l'expédition et repartit vers l'Irlande sur un seul navire. C'est le capitaine de ce bateau qui fit à son retour le compte rendu détaillé du voyage. Ce récit fut soigneusement noté par un moine, et c'est ainsi qu'on le retrouva au monastère de Galway.

Imaginez la joie de Philippe Bertin après la lecture de ce vieux manuscrit. Enfin il tenait « sa » découverte ! La rivière qui coulait du sud-est et se jetait dans le Saint-Laurent pouvait fort bien être la Paskédiac. En effet, le Cap-au-Loup, le promontoire sur lequel se dresse la citadelle de Neubourg, était conforme à la description faite dans le récit. Quant au site choisi par les Gaéliques, il pouvait se trouver aux environs de Chandeleur, au confluent de la Kénistchouane. En amont de ce point, la Paskédiac est trop peu profonde pour des navires d'un certain tonnage.

De retour au pays, Philippe Bertin garda jalousement le secret de « sa » découverte. Il n'en parlerait à personne tant qu'il n'aurait pas trouvé lui-même d'éventuels vestiges de la colonisation gaélique.

Très souvent durant l'année qui suivit, il partit le samedi soir vers Chandeleur, couchant à l'auberge pour consacrer toute la journée du dimanche à l'exploration de la région. Il arrivait à son fils Ludovic de l'accompagner dans ces excursions à travers champs et bois. Il n'y avait pas une ferme où Philippe Bertin ne se fût arrêté pour questionner l'habitant sur « de vieilles pierres » qu'il aurait pu trouver sur ses terres. Il n'y avait pas un boisé où il n'eût erré durant des heures en quête de ruines hypothétiques.

En même temps, Philippe Bertin suivait auprès de son ami McCald des cours privés de gaélique ancien. Il voulait être capable de déchiffrer des inscriptions laissées par les Celtes — si jamais il en trouvait.

Au nord de Chandeleur, les terres éaient presque entièrement défrichées et cultivées. Mais elles ne l'étaient pas vers l'ouest et le sud: la forêt, surtout à cette époque, se dressait intacte et dense sur les basses collines qui sont comme une avant-garde des Appalaches. S'il fallait en croire certains cultivateurs qui parlèrent à Philippe Bertin, c'est dans cette forêt qu'on pouvait trouver les vestiges d'anciennes constructions. Ces vieilles pierres semblaient assez connues, même si on en parlait peu et si nul ne pouvait préciser où elles se trouvaient exactement. Personne ne se rendait compte à quel point elles étaient anciennes, et quelle valeur historique elles avaient.

Philippe Bertin consulta quelques chasseurs, qui connaissaient les bois comme leur jardin. On lui parla d'un vieil ermite qui vivait dans la forêt. Les ruines étaient censées se trouver près de sa cabane. On le disait Indien ou Métis. Il ne parlait presque à personne, sauf à un jeune paysan des environs, amateur de chasse, qui lui apportait du gibier par gentillesse.

Un dimanche de juin, Philippe Bertin et son fils Ludovic allèrent à la recherche de ce vieil homme qu'on disait centenaire et qui aurait pu leur montrer les vestiges en question. Ludovic avait douze ou treize ans à l'époque. Son père lui montrait avec fierté sa connaissance toute fraîche du gaélique. Ludovic lui demandait comment il saluerait, dans cette langue, un descendant des colons celtes. Bertin le lui dit et Ludovic répéta plusieurs fois cette salutation que son père prononçait en crachotant. Il s'en amusait tant que, lorsqu'ils rencontrèrent l'ermite sur le sentier venant de sa cabane, Ludovic lui fit tout naturellement le salut qu'il venait d'apprendre.

L'homme sembla paralysé par la surprise. C'était un vieillard assez petit et voûté, affreusement ridé, aux cheveux rares et blancs. La lenteur de sa démarche trahissait son grand âge, mais il gardait un regard alerte.

Après un moment de stupeur, il répondit au salut de Ludovic. Puis, d'une voix qui avait rarement l'occasion de s'exercer, il posa une question au professeur. Les Bertin furent aussi stupéfaits que le vieux l'avait été: il s'exprimait en gaélique ancien...

* * *

Une modeste cabane de rondins se dressait dans la petite clairière où l'ermite cultivait ses légumes et élevait ses volailles. Fer O'Gwain (c'était son nom) parla en gaélique et en français, car monsieur Bertin n'était pas encore capable de soutenir une conversation en langue celte, malgré l'enseignement de McCald.

Il fallait voir la joie de Philippe Bertin. Il avait cherché de vieilles pierres, et voici qu'il rencontrait un descendant des colonisateurs celtes! Il ne tenait pas en place, posait question sur question sans trop se faire comprendre, répétait à son fils l'importance historique de cette rencontre.

Les Gaëls avaient fondé, dans les collines à l'ouest de la Paskédiac, une cité qu'ils avaient nommé Tirnewidd. C'étaient des maisons de bois autour d'un château fort en pierre, la demeure du *thain** et le cœur de la communauté.

La cité avait prospéré durant cinq siècles. Après cela, elle avait commencé à décliner, faute de sang neuf. La petite vallée défrichée, avec ses troupeaux et ses champs de céréales, avait été peu à peu reprise par la forêt, à mesure que diminuait la population.

Au voisinage d'une tribu d'Abénaquis venue s'installer dans la région, les Celtes avaient graduellement perdu la pureté de leur langage et de leur religion. Des Gaëls s'étaient mariés chez

---

* *Thain*: chef, en gaélique.

les indigènes. Ils s'étaient joints à la tribu, adoptant sa langue, son culte, son mode de vie. Ce lent mouvement démographique avait ramené Tirnewidd à une population de quelques dizaines de personnes, sept siècles après sa fondation.

Lorsque le baron Davard fonda Granverger en 1643, les Gaëls de Tirnewidd passèrent inaperçus. Leur quai sur la Paskédiac était tombé à l'abandon depuis des siècles. La clairière de leur cité était invisible de la rivière. Par conséquent, les colons français ne surent rien du premier établissement européen en Amérique. À cette époque, d'ailleurs, il ne restait que trois ou quatre familles de Celtes non métissés*, une vingtaine de personnes en tout.

Quand, vers la fin du dix-septième siècle, Chandeleur fut fondée à trois lieues de Tirnewidd, il ne restait plus grand-chose de l'ancienne cité: un château-fort lézardé, à demi écroulé, et les vestiges pourris des dernières maisons de bois.

Par la suite, le dernier Gaël, le dernier *thain*, qui n'avait plus de sujets et dépassait les quarante ans, se résolut à prendre une épouse parmi les Abénaquis. Fer O'Gwain naquit de cette union tardive.

Lorsque mourut son père, Fer O'Gwain se sentit indigne d'habiter le château des anciens *thains*, ses ancêtres directs. Mais il ne voulut

---

* *Métissé*: né de parents de races différentes.

pas déserter la cité qu'on lui avait appris à véné-
rer, et il s'installa tout près, comme le dernier
gardien d'un temple sacré oublié par les dieux.
Héritier de la langue et de l'histoire d'un peuple disparu, il observa la lente ruine du château-
fort et l'avance implacable de la forêt. Jamais
il ne se maria, sachant qu'avec lui s'éteindrait
le règne des Gaëls en Amérique, en ce continent
où d'autres civilisations, plus jeunes, bâtis-
saient des pays nouveaux.

Voilà l'histoire que le vieil ermite raconta aux
Bertin, avec la fierté d'un descendant de prin-
ces. C'était un récit qu'il n'avait jamais confié
à quiconque. Mais, en ces jours où il sentait
venir sa mort, il était heureux de le raconter à
quelqu'un qui s'y intéressait autant et qui com-
prenait la langue des ancêtres.

Philippe Bertin pleura, de joie d'avoir enfin
« sa découverte », et de tristesse devant la destinée de ce peuple. Ensuite, Fer O'Gwain invita
les Bertin à visiter l'antique cité de Tirnewidd.

Peu de gens avaient vu les ruines. Ce n'était
pas étonnant: on pouvait passer à quelques
mètres d'elles sans même les remarquer. En
cette petite vallée jadis défrichée, la forêt avait
eu tout le temps de repousser, peuplée d'arbres
jeunes et vigoureux. Les maisons et les gran-
ges de bois, écroulées, pourries, étaient re-
tournées à la terre depuis des siècles, leurs fondations enfouies sous les feuilles mortes et les
fougères. Seuls restaient, sur le versant d'une
colline basse, les vestiges de ce qui avait été le

cœur de la cité, un petit château-fort qui avait servi de résidence au *thain* et à son entourage.

Dans la forêt, on distinguait des pans de murs lézardés, aux fenêtres béantes, des colonnes tronquées émergeant des fougères, des arches brisées, des amorces d'escaliers recouvertes de mousse, des portiques envahis par le lierre, des fondations presque enfouies sous l'humus, des terrasses disloquées par les racines d'arbres, un petit cimetière envahi par les arbustes.

Philippe Bertin ne tenait pas en place, courant d'un côté et de l'autre malgré ses cinquante ans passés. Il écartait une broussaille, arrachait un lierre, bousculait la fougère pour démasquer ici un bas-relief, là une pierre tombale, là encore un soupirail, dans une ardeur de tout découvrir, de tout mettre au jour.

Dès ce moment, probablement, Fer O'Gwain devina ce qui allait suivre. Mais, par lassitude ou par résignation, il ne dit rien. Le visage triste, il s'en retourna vers sa cabane, si discrètement que le professeur Bertin n'en eut pas connaissance.

* * *

Dans la semaine qui suivit la découverte de Tirnewidd, Philippe Bertin décida que sa famille quitterait Neubourg. Cela se fit dès que Bertin eut obtenu un poste d'enseignant au collège de Chandeleur. C'était une situation moins prestigieuse et moins bien payée que son emploi précédent. Mais monsieur Bertin était à l'aise financièrement et il n'avait plus d'autre intérêt que « sa découverte ». Quant à madame Bertin et à leur fils Ludovic, le professeur ne leur demanda pas vraiment leur avis.

C'est ainsi que, un an après son voyage en Irlande, Philippe Bertin installa sa famille dans un petit manoir ancien, dans la forêt à l'ouest de Chandeleur, à peu près à mi-chemin entre la ville et les ruines de Tirnewidd. Monsieur Bertin entendait passer l'été dans l'antique cité gaélique, à tenter d'en reconstituer la disposition, à chercher des inscriptions, des objets usuels, des outils.

Philippe Bertin était fier de sa découverte mais, chose curieuse, il n'avait pas l'intention de la rendre publique. Il voulait garder pour lui tout le fiévreux plaisir des fouilles. Lorsqu'il aurait retourné toutes les pierres de Tirnewidd, alors il parlerait de sa découverte, et à quelques spécialistes seulement. Même à son ami McCald, il cacha la vérité en disant simplement que « les recherches se poursuivaient ».

Quant à Ludovic, il participa assez peu aux travaux de son père. Sa façon d'agir lui déplaisait: les ruines lui semblaient jolies dans leur abandon, sous leurs voiles de mousse et de lierre. Il lui suffisait de savoir que Tirnewidd avait existé. Il trouvait sacrilège le projet de bouleverser le site et d'exhumer les monuments repris par la terre et la forêt.

Le drame se produisit deux semaines seulement après l'installation des Bertin dans le petit manoir. Un après-midi de la mi-juillet, Ludovic cherchait la fraîcheur sous le couvert de la forêt. Ses pas le menèrent tout naturellement à Tirnewidd, là où l'ombre semblait toujours plus fraîche et plus tranquille.

Ludovic ne vit pas son père, qui pourtant était censé se trouver dans les ruines, d'après ce que lui avait dit madame Bertin. Rien ne bougeait; le silence était complet. Le garçon se demanda si son père n'était pas tombé dans quelque ancien puits ou si une arche précaire ne s'était pas écroulée sur lui.

Il se mit à le chercher en l'appelant. Il parcourut la zone des ruines jusqu'à ce qu'il découvre, au pied de ce qui avait été une tour circulaire, les traces d'une excavation toute récente. Il ne restait que le soubassement de la tour, et cela formait un monticule peu élevé, couvert d'humus et de végétation. Philippe Bertin l'avait dégagé par endroits, mettant à jour la pierre des murailles, et il était parvenu à repérer une porte basse au pied d'un escalier étroit, recouvert de broussailles.

C'est cet escalier que monsieur Bertin venait de déblayer, et Ludovic aperçut le rectangle d'une porte ouverte sur les ténèbres d'une cave. Il descendit les marches sommairement nettoyées et pénétra dans une salle humide où, tout d'abord, il ne vit rien. Puis, ses yeux s'habituant à la noirceur, il discerna une rotonde où s'embranchaient, à angle droit, deux galeries voûtées dont il ne distinguait pas le bout.

Une vague lueur provenait de l'une d'elles. Ayant descendu les marches jusqu'au sol terreux, il se dirigea vers cette lueur. L'odeur, une odeur de terre humide et de caveau, était aussi saisissante que la fraîcheur. Il frissonna, mais ce fut à cause de ce qu'il vit plutôt qu'à cause du froid. De part et d'autre de la galerie dans laquelle Ludovic s'engageait, des tombes s'alignaient, de grandes pierres couchées à plat sur des fosses creusées à même le sol.

Près de la lampe dont la lueur l'avait guidé, Ludovic trouva le corps de son père étendu face contre terre, un bloc de pierre plaquant sa jambe au sol. En tentant de desceller une pierre tombale, Bertin avait dû ébranler un des pilastres soutenant la voûte, et un éboulement s'était produit. La voûte elle-même ne s'était pas effondrée. Mais quelques moellons en étaient tombés, assommant Philippe Bertin, lui brisant l'épaule et manquant de peu de l'écraser.

Dans les moments d'affolement, on a parfois d'étranges pensées. L'idée vint à Ludovic que les morts, autour d'eux, venaient de châtier son père pour avoir troublé leur repos.

* * *

Dans les quelques jours qui avaient précédé son accident, monsieur Bertin n'avait pas eu le temps de bouleverser notablement les ruines de la cité. Il avait commencé ses fouilles autour des vestiges de la tour circulaire, il en avait partiellement déterré les fondations, mais c'était à peu près tout. Après l'accident, Tirnewidd retrouva sa tranquillité, car Philippe Bertin n'était plus en mesure de poursuivre ses fouilles.

La santé lui revint, mais il garda de graves séquelles de son accident: une paralysie totale du bras gauche, à cause de son épaule écrasée, et une raideur de la jambe qui avait été brisée. Privé de l'usage d'un bras, incapable de longues marches, Philippe Bertin dut renoncer à l'archéologie. Le trajet de sa maison aux ruines lui était devenu extrêmement difficile, car il boitait.

Monsieur Bertin se résigna à diminuer ses déplacements. Il se rendit désormais au collège de Chandeleur en voiture. Il poursuivit avec succès sa carrière d'enseignant. Il allait devenir tour à tour adjoint, puis directeur du collège.

Peut-être parce qu'il avait eu le temps de réfléchir durant sa convalescence, ou parce qu'il était jaloux de sa découverte, Philippe Bertin ne confia à personne la tâche de poursuivre les fouilles qu'il avait entreprises; il se contenta de mettre au propre le plan des ruines qu'il avait esquissé. Les recherches qu'il ne pourrait faire, personne ne les ferait à sa place. Jusqu'à sa mort, il ne parla à personne de l'antique Tirnewidd. Il fit jurer à son fils:

— Ludovic, jamais tu ne révéleras l'emplacement de ces ruines, ni même leur existence.

Quant à Ryan McCald, il avait hérité des terres familiales en Irlande; il quitta le pays
l'année suivante et il laissa à l'oubli le manuscrit qu'il avait montré à Philippe Bertin.

* * *

Quelques jours après le drame, Ludovic
retourna à la crypte funéraire que son père
avait bien innocemment profanée. L'état du
blessé n'inspirait plus d'inquiétude, aussi Ludovic fit cette fois une véritable visite.

Les deux galeries, qui formaient un L, avaient
été creusées à même le roc et s'étendaient bien
au-delà du soubassement de la tour. Leurs soupiraux étaient obstrués par l'humus et les herbes. Là reposaient, selon Philippe Bertin, tous
les *thains* ayant gouverné la cité en mille ans,
jusqu'au père de Fer O'Gwain, le dernier Gaël
authentique de Tirnewidd.

Dans les ténèbres fraîches et humides, Ludovic prêta l'oreille au silence de ces dizaines de
morts qu'il devinait alignés sous leurs dalles
funéraires. Impressionné par l'ambiance, il lui
semblait sentir la présence de tous ces défunts
qui le contemplaient par-delà le temps. Il frissonna.

Instruit des dangers de tels souterrains, il
n'entreprit même pas de se rendre au bout de
chaque galerie, pour compter, par exemple,
combien de *thains* s'étaient succédés sur le
trône de Tirnewidd. Ce n'était pas de l'indiffé-

rence, c'était une sorte de respect devant un passé qui lui apparaissait presque sacré.

Au moment de remonter à l'extérieur, ses yeux se posèrent sur un petit objet dans le coin d'une marche. À demi couvert de terre ou de poussière, ce semblait être une pièce de monnaie. Il se pencha et ramassa l'objet terni, qui était passé inaperçu jusque là. Il s'agissait d'une petite pièce, de cuivre peut-être, portant un L majuscule et de minuscules fleurs de lys.

De l'argent français, à Tirnewidd!

De l'argent d'avant la Conquête britannique, donc vieux d'au moins un siècle, sinon deux! Fer O'Gwain n'avait donc pas dit toute la vérité, ou alors il ne la connaissait pas en entier. Tirnewidd n'était pas restée inconnue de tous.

Ludovic sortit, referma soigneusement la porte au battant lourd et moisi. Puis il entreprit de rejeter dans l'escalier la terre que son père en avait extrait. La tranchée fut bientôt comblée et on ne vit plus l'entrée de la crypte. La végétation aurait tôt fait de recouvrir l'endroit.

Son travail terminé, il se retourna, pour apercevoir Fer O'Gwain à quelque distance de lui. Voûté, appuyé des deux mains sur sa canne plantée devant lui, il observait Ludovic avec une ombre de sourire. Par deux fois il hocha la tête en signe d'approbation. Puis, d'un regard circulaire, il contempla longuement l'étendue des ruines, comme pour juger de leur apparence maintenant que Philippe Bertin ne reviendrait plus les déranger.

Enfin, sans un mot, il tourna le dos et s'en fut lentement, vers son humble logis, avec une branche en guise de canne. Il sembla à Ludovic que Fer O'Gwain lui avait transmis la tâche de veiller sur l'antique cité.

* * *

La petite découverte que Ludovic montra à son père s'avéra être une pièce de cinq sols émise sous le règne de Louis XIV, probablement durant le dernier quart du dix-septième siècle. Elle ne fit qu'ajouter au sentiment de défaite de Philippe Bertin: non seulement le destin l'avait empêché d'explorer Tirnewidd et de réaliser le rêve d'une vie, il s'avérait en plus que la cité n'était pas aussi inconnue que Bertin l'avait cru. Quelqu'un, coureur de bois, chasseur ou bûcheron, avait visité les ruines à l'époque de la Nouvelle-France et avait gardé sa découverte pour soi.

* * *

Cinq ans après son accident, Philippe Bertin mourut au terme d'une cruelle maladie. Ludovic en fut très affligé. Il avait beaucoup aimé son père, même s'il n'avait pas toujours été d'accord avec ses actes et ses attitudes. Durant bien des mois après ce décès, Ludovic fut plus grave qu'il ne l'avait jamais paru, lui qui déjà était plutôt rêveur.

Philippe Bertin fut inhumé au petit cimetière de Chandeleur, qui se trouvait à quelque distance à l'ouest de la ville, pas très loin du vieux manoir qu'habitaient les Bertin. Ludovic fut très surpris de voir, dressée au-dessus de la fosse, une très vieille croix de pierre aux arêtes usées, aux bas-reliefs presque effacés. C'était un monument celtique, une de ces hautes croix dont les courtes branches vont en s'élargissant, et dont la surface s'orne de motifs symétriques.

Il reconnut l'une des croix découvertes par son père et lui à Tirnewidd, cinq ans plus tôt, dans une cour fermée. Cette cour avait dû être le cimetière des Gaëls, non loin de la tour ronde sous laquelle s'ouvrait la crypte funéraire des *thains*. Selon Philippe Bertin, ce devaient être les sépultures des parents des *thains*, des prêtres et des citoyens les plus illustres. Toutes les croix étaient tombées, la plupart brisées. Le professeur Bertin les avait longuement examinées, quelques jours après la découverte des ruines.

Ludovic apprit que, deux ou trois semaines avant sa mort, son père avait émis le vœu qu'on aille chercher à Tirnewidd la mieux conservée de ces croix funéraires, pour la dresser sur sa propre sépulture. C'était sa dernière volonté, et il avait, à partir de chez lui, organisé lui-même le transport de la grande pierre. Il se consolait ainsi de n'avoir pu faire toutes les recherches et les découvertes dont il avait rêvé. Sur les indications précises de leur futur client, l'entrepreneur de pompes funèbres et son assistant étaient allés chercher le monument, le faisant tirer à travers le bois par deux chevaux.

Durant toute la cérémonie de l'enterrement, Ludovic garda les yeux sur la vieille croix moussue. Il ne pouvait se défendre d'un malaise certain face à ce vol, cette profanation aux dépens des Gaëls morts.

* * *

L'enterrement eut lieu au début de mai 1858. Dans le courant de juin, Gilles, le seul ami de Ludovic, lui confia que le cimetière était hanté. Il le tenait de son oncle, qui était gardien du cimetière. Cet homme disait entendre des bruits, chaque nuit où son estomac malade le tenait éveillé. Des bruits mystérieux venant du secteur ouest, vers le fond du cimetière. C'étaient divers bruits, certains assez anodins en eux-mêmes, mais qui sortaient de l'ordinaire lorsqu'on les entendait en pleine nuit dans un cimetière. Ces phénomènes avaient débuté un mois auparavant, juste après l'enterrement de Philippe Bertin.

— Comment peut-il être certain que ça a rapport avec mon père? demanda Ludovic, soupçonneux.

— Il paraît, lui répondit Gilles avec une certaine gêne, que ton père a été le seul enterré cette semaine-là, et que les bruits viennent justement du secteur où est sa tombe.

Et comme Ludovic Bertin mettait en doute ses paroles, Gilles l'invita à entendre lui-même les preuves. Ludovic accepta sans hésitation. Les deux garçons étaient à un âge où une visite nocturne dans un cimetière représentait l'aventure par excellence, avec tout ce que cela comportait d'interdits, de mystère et de peurs faciles.

Ils choisirent une nuit claire où la lune était presque pleine. Toutefois le temps se couvrit partiellement, déjouant leurs prévisions. Madame Bertin se couchait tôt, et Ludovic savait depuis longtemps comment quitter sa chambre par la fenêtre pour des escapades amoureuses.

Gilles et lui passèrent la nuit à marcher dans les allées et à s'asseoir sur des pierres tombales pour reposer leurs jambes. Les cimetières n'avaient jamais beaucoup impressionné Ludovic, même la nuit. Il ne pensait guère aux morts qui pourrissaient sous terre, et encore moins aux âmes qui pouvaient s'attarder sur les lieux de leur sépulture. Il n'était pas à l'aise, mais il n'aurait pas été plus anxieux dans la forêt, par exemple.

Parmi les pierres et les stèles qui s'alignaient, pâles sous la clarté lunaire, Ludovic remarqua la haute croix de pierre qui marquait la sépulture de son père. Elle était encore inclinée, bien que madame Bertin eût prié deux fois le gardien de la redresser. La croix semblait avoir une tendance à pencher vers le sud, malgré la pente du terrain qui descendait plutôt vers le nord.

Sur le moment, ce détail anodin n'inspira pas de longues réflexions à Ludovic. Il suggéra à son ami Gilles de s'installer plus loin. Il n'était pas tout à fait indifférent au fait que son père fût enterré là.

Vers deux heures, les garçons entendirent un bruit. D'abord lointain, à tel point que Ludovic crut d'abord l'avoir imaginé, le son se précisa en s'amplifiant. Il était assez reconnaissable, quoique inattendu en ces lieux et surtout à cette heure : c'était apparemment le pas d'un cheval, le bruit de sabots ferrés sur la terre battue d'une route. La lune était cachée depuis un bon moment derrière un gros nuage et on n'y voyait presque rien.

Pour la première fois, Ludovic sentit l'angoisse serrer son étau sur sa gorge. À pareille heure, que faisait là un cheval ? (Et son cavalier ?) Ludovic se rapprocha instinctivement de son ami, et le contact de son épaule le rassura quelque peu. Très peu.

Le cheval, s'il s'agissait bien de cela, approchait d'un pas égal le long de l'allée au bord de laquelle étaient les garçons. Il passa près d'eux, à moins de six pieds. Ludovic scrutait éperdument les ténèbres, qui n'étaient pas absolues. Il retenait son souffle, crispé par l'angoisse. *Or il ne vit rien passer devant lui*, et le bruit s'éloigna aussi tranquillement qu'il était venu, pour s'éteindre peu à peu dans le silence de la nuit.

Un frisson secoua Ludovic, avec la violence d'un spasme.

— Partons! murmura-t-il.

D'un commun accord, les garçons s'engagèrent sur l'allée, marchant vers la clôture basse qui entourait le cimetière. La démarche de Ludovic était si précautionneuse qu'il avait l'impression d'avancer sur un nuage, ne voyant presque rien devant lui. Un aveugle devait ressentir la même impression, songea-t-il.

Leurs angoisses ne finirent pas là. Peu avant d'arriver à la clôture, ils entendirent un nouveau bruit. Ludovic s'immobilisa et son cœur eut un bref arrêt. Le son approchait, mais il était difficile à identifier. On aurait dit une roue, peut-être deux, roulant sur un sol dur, mais sans les autres sons qui auraient pu l'accompagner, sabots d'un cheval, grincements d'essieu et d'attelage. Gilles, lui, pensa plutôt à un tonneau ou un baril roulant sur une pente.

Ludovic sentit la peur le gagner, la peur de l'invisible, de l'inconnu, de l'inexplicable. Ce qu'il y avait de terrible, c'était cette tranquille indifférence avec laquelle cela roulait, à une allure égale. D'un coup d'œil en l'air, Ludovic vit que la lune se dégageait lentement du nuage qui l'avait cachée. Il pensa à fermer les yeux pour ne pas voir ce que l'éclairage lunaire allait lui montrer. Mais la curiosité le fit regarder

31

quand même, une curiosité morbide, mêlée d'angoisse.

Cela passa à quinze pieds d'eux. Ils distinguaient très bien l'allée de terre battue, la croix funéraire de Philippe Bertin juste au-delà, *mais ils ne virent rien*. Le bruit ne venait de rien. Ou plutôt, ce qui produisait ce bruit était invisible.

Puis le son s'éloigna, décrût, s'estompa. Ludovic gémit. Il s'enfuit, marchant plus vite qu'il ne l'avait fait de toute sa vie, retenu de courir par un reste d'orgueil. Tout le temps que Gilles et lui avancèrent vers la clôture, et bien après qu'ils soient sortis du cimetière, Ludovic fut agité d'un tremblement nerveux. Pas une fois il n'osa regarder derrière lui.

Le cimetière était bel et bien hanté.

* * *

Le lendemain matin, néanmoins, Ludovic trouva le courage d'y retourner. Il était sûr qu'il ne pouvait rien s'y passer à la lumière du jour. Le ciel était couvert et le temps était doux, humide; il ne pleuvait pas encore.

Ludovic alla à la tombe de son père. Il contempla la haute croix de pierre, cette croix vieille de plusieurs siècles où la mousse s'incrustait en quelques plaques vert-jaune. En la regardant, Ludovic avait la même sensation que dans les ruines de Tirnewidd, l'impression que cette pierre aux reliefs usés était en quelque sorte imprégnée du passé, comme si elle avait retenu quelque chose des hommes et des femmes qui l'avaient côtoyée durant des siècles.

Le garçon vit approcher le gardien du cimetière, qui était aussi fossoyeur. Ludovic le connaissait, ce monsieur Grenon, surtout par son ami Gilles, qui était son neveu. Grenon était un sage, à sa façon. Il avait des croyances étonnantes sur la mort et sur ce qui vient après, un mélange de superstitions et de mysticisme. Il les racontait à qui voulait bien l'entendre. Ce matin-là, il confia à Ludovic:

— Quand il y a des manifestations pas naturelles à l'endroit où les gens ont trépassé, ou dans celui où ils sont enterrés, c'est toujours parce qu'il y a un tort à réparer. Toujours. Si un homme meurt sans sépulture, il reviendra sans cesse faire le mal autour de l'endroit où on a laissé son corps. Quand une personne a été assassinée sans être vengée, elle revient hanter la chambre où elle a été tuée. Si un prisonnier est exécuté injustement, on sent sa haine chaque fois qu'on approche de sa tombe. Quand un enfant a été enlevé trop tôt à la vie, on l'entend se lamenter dans la nuit.

Ludovic n'avait jamais accordé de crédit aux fables du bonhomme Grenon. Mais, ce jour-là, il lui était plus difficile d'écarter ses affirmations.

— Gilles m'a dit que vous... entendiez des bruits, ces temps-ci?

Le vieil homme esquissa un sourire ironique, comme s'il était au courant de leur visite nocturne.

— Il y a quelque chose au cimetière qui tracasse les gens de l'au-delà, répondit-il.

— Est-ce qu'il s'agit de... quelqu'un décédé récemment?

— Pas nécessairement. Les esprits peuvent revenir de très loin dans le passé, ça s'est déjà vu.

Il regardait la vieille croix prise à Tirnewidd.

— Vous avez vu, fit Ludovic, elle penche à nouveau. Encore dans la même direction.

Grenon hocha la tête lentement.

— Ouais... On dirait qu'elle veut s'en aller d'ici.

Et il partit sans préciser sa pensée. Mais il en avait fait comprendre plus à Ludovic par ce qu'il n'avait pas dit que par ses paroles. Le garçon se doutait maintenant que ces incidents nocturnes dans le cimetière étaient reliés à la présence de la croix celte.

Du monument, son attention se porta vers la forêt, qui commençait juste au-delà de la clôture, au fond du cimetière. Ludovic fut très étonné d'y apercevoir le vieux Fer O'Gwain, qui ne s'approchait jamais de Chandeleur. Ludovic ne l'avait pas vu depuis un an ou deux, mais il était aisément reconnaissable à ses vêtements usés flottant sur un corps qui devait être terriblement maigre, et à son visage plus effrayant que jamais.

Le vieil ermite, debout à l'orée de la forêt, observait Ludovic par-dessus la clôture en fer forgé du cimetière. Difficile de lire ses pensées, dans ce visage grave. Cependant il dirigea son regard vers la croix, comme pour la désigner à Ludovic, puis le regarda à nouveau. Instinctivement, Ludovic tourna les yeux vers elle. Lorsqu'il regarda à nouveau vers la forêt, Fer O'Gwain avait disparu.

Mais Ludovic savait maintenant qu'il fallait rapporter la croix à sa place.

* * *

Ludovic n'hésita pas à demander l'aide du bonhomme Grenon. L'homme approuva son projet:

— Cette croix-là appartient à d'autres morts. Sa place n'est pas ici.

Le transfert se fit à l'aube le lendemain matin, avec la complicité du gardien et l'aide de son neveu Gilles. Grenon leur obtint deux chevaux. La croix, couchée, fut hissée entre les deux bêtes, portée par elles en diagonale, les cordes soutenant la traverse à trois pieds du sol. Le pied raclait la terre derrière eux et laissait un profond sillon sur les sentiers.

Ce fut une pénible randonnée, dans la forêt obscure, sous la pluie battante. Gilles menait les chevaux par la bride, Ludovic guidait le pied de la croix pour qu'il ne heurte pas une roche en traînant. Un choc aurait pu briser l'antique monument.

La matinée était avancée quand ils atteignirent Tirnewidd. La piste était à peine tracée, les deux chevaux devaient l'élargir en marchant de front avec la croix entre eux.

Ludovic repéra à peu près l'endroit d'où le monument avait été enlevé. Ils le déposèrent là.

Le jeune Bertin contempla brièvement la croix, couchée parmi les herbes et les fougères, sur cette terre où les ossements des Gaëls anonymes reposaient depuis des siècles.

Ludovic s'était vaguement attendu à revoir Fer O'Gwain, comme lorsqu'il avait refermé la crypte funéraire violée par son père, geste que l'ermite avait approuvé d'un grave hochement de tête. Ludovic avait à nouveau le sentiment d'avoir remis les choses en place, d'avoir réparé une faute.

Effectivement, les bruits nocturnes cessèrent au cimetière de Chandeleur.

* * *

À madame Bertin qui s'alarma quand elle constata la disparition de la croix, le bonhomme Grenon expliqua que le vent d'un orage particulièrement violent avait renversé le monument. Rendue friable par les siècles, la croix s'était brisée en plusieurs morceaux dans sa chute. Il lui offrit un rabais sur une très belle

36

pierre tombale que vendait son confrère l'entrepreneur des pompes funèbres.

Quant à Ludovic, il repensa avec gratitude à
Fer O'Gwain, dont le regard sombre, un matin
au cimetière, lui avait servi d'avertissement et
de conseil.

Quelques jours plus tard, par un paysan qui
allait parfois chez l'ermite pour lui offrir du
gibier, Ludovic apprit que Fer O'Gwain était
mort quinze mois plus tôt, au cours de l'hiver,
et qu'il était enterré depuis plus d'un an...

3

Dans le logis d'Agathe

Quelles destinées différentes, celles des Vignal et celles des Bertin. Pourtant ces deux familles ont toujours été proches l'une de l'autre, depuis les débuts de la Nouvelle France. Il y a même de leurs filles et de leurs fils qui se sont mariés les uns avec les autres.

Les Vignal, du moins les hommes, sont plus souvent morts de mort violente. Plusieurs étaient dans l'armée, dans la police, ils avaient souvent l'arme à la main.

Vous vous demandez comment je sais toute l'histoire des Bertin? N'oubliez pas que ç'a été mon métier durant quarante ans, de «voir» des choses... On a dit que j'étais une voyante, une devineresse. Devineresse, petit monsieur. C'est le féminin de devin. Simon, lui, il sait tout ça.

Oui, c'est comme je vous l'expliquais quand vous êtes arrivés: je prédis la destinée des gens. C'est mon mari qui m'a initiée au tarot, à la cartomancie, à l'astrologie. Une fois, je vous parlerai de mon mari Charles, qui était officier de marine dans sa jeunesse, puis qui est devenu commerçant dans le port de Neubourg. Mais pas aujourd'hui.

La cartomancie? Ça consiste à lire la destinée des gens dans les cartes. Tu n'as pas l'air d'y croire, petite demoiselle. Il se peut que tu aies raison. Peut-être que, dans cent ans, on ne croira plus à ces choses, ou peut-être qu'on y croira encore. Et, peut-être qu'on croira à d'autres choses tout aussi déraisonnables.

Moi je pense qu'on peut prévoir l'avenir des gens. Prenez Benjamin Vignal. Lui aussi je l'ai connu quand il était enfant, il avait un an ou deux de plus que moi. Il était le frère d'Anne Vignal, mais il était si différent d'elle... Il tenait plus de son père François, qui était un homme dur et sans gentillesse.

Benjamin rôdait sur les bords de la rivière et dans les prés, toujours en quête de sales coups à faire. Il était mauvais. Quand il trouvait des grenouilles ou des crapauds, il s'amusait à les écraser avec des pierres. Il était cruel avec les chiens et les chats aussi. Je crois que sa sœur a essayé de le faire changer, mais elle n'y est pas arrivée.

Quand il a commencé à travailler, c'est à la citadelle de Neubourg, dont une partie servait de prison à l'époque. Au début, il aidait aux cuisines. Après quelques années, comme il était un jeune homme robuste, il est devenu geôlier. Gardien de prison.

Vous me direz, petit monsieur, qu'il en faut bien, des gardiens de prison. Mais des gardiens comme celui-là...

4

Le bourreau de Granverger

Ce soir-là, à l'auberge à Jean-Loup, la principale auberge de Granverger, on discutait politique à l'approche des élections municipales de 1868. On s'attendait à ce que le vieux maire Vincelot meure bientôt. Déjà, depuis quelques mois, il ne pouvait plus assumer ses fonctions.

Le candidat le plus sérieux à sa succession était Benjamin Vignal, chef de police et geôlier municipal. C'était un solide célibataire, dans la soixantaine avancée. On le surnommait « le Bourreau », à cause de sa forte stature. Son visage carré et épais avait quelque chose de bestial. Autrement, c'était un honnête homme, courtois, mais parlant peu. Il avait des manières franches, mais on le trouvait avare de sourires. À la taverne, il buvait peu mais offrait certains soirs une généreuse tournée à ses frais. Cela le rendait populaire, même si de mauvaises langues se demandaient comment il en avait les moyens.

On ignorait tout du passé de Benjamin Vignal, sauf qu'il venait de Neubourg. On supposait qu'il y avait épargné de l'argent et que cela complétait sa rente de fonctionnaire. À l'automne de sa vie, il se trouvait donc à l'abri du besoin. Il ne parlait jamais de lui-même, ni de ses antécédents, et personne ne se permettait de l'interroger.

Tel était l'homme un peu mystérieux que l'on surnommait plaisamment « le Bourreau ». Bourreau, il ne l'était pas, car il n'existait pas de tribunal criminel à Granverger. Chef de police et geôlier, il ne l'était pas beaucoup plus, car il se faisait peu d'arrestations ou d'emprisonnements dans ce village. Vignal jouissait donc du prestige de ses fonctions sans avoir à les exercer souvent.

Ce soir-là, Benjamin Vignal entra à l'auberge un peu plus tard que d'habitude. Il avait une mine sombre et soucieuse; ses robustes épaules étaient voûtées, comme écrasées par de graves préoccupations. Sa démarche était moins assurée que d'habitude. Néanmoins, il salua tout le monde comme chaque soir, alla s'attabler à sa place habituelle et commanda sa chope de bière.

On lui parla d'élections. On l'encouragea à présenter sa candidature à la mairie. On lui promit des appuis, on lui assura la victoire. Il remercia, poliment mais distraitement, tous ceux qui prirent son parti. Quelques citoyens qui prenaient les élections plus au sérieux lui demandèrent pourquoi ils devraient le préférer à un autre candidat, et ce qu'il projetait d'accomplir pour la municipalité. Vignal fit des réponses vagues et brèves. Il n'avait pas le cœur à discuter de ces choses, c'était clair. Autour de lui, les gens s'échangèrent des regards intrigués. Ils s'interrogèrent à voix basse sur son humeur sombre. Mais personne ne se permit de le questionner là-dessus.

Ce soir-là, Vignal ne prit qu'une bière. Il quitta l'auberge plus tôt qu'à son habitude, après avoir offert une tournée générale, que l'on but à son succès. Le soleil se couchait quand le bourreau de Granverger ferma derrière lui la porte de l'auberge à Jean-Loup.

On ne le revit plus jamais.

* * *

Une fois Vignal sorti, un bourdonnement de murmures et de chuchotements éclata dans la salle de l'auberge. On commentait à voix basse l'attitude du bourreau. On s'entendait pour dire qu'il n'avait jamais paru si morose. Quelques hypothèses furent lancées, mais elles étaient sans fondement car on ne savait presque rien sur l'homme. On ne lui connaissait pas d'attache familiale ou sentimentale, pas de problème d'argent. L'avenir semblait prometteur pour lui: la mairie, et le salaire qui venait avec, lui étaient assurés dans moins d'un mois. Et, s'il gardait la sympathie de ses concitoyens, la mairie lui était presque garantie à vie.

Les préoccupations de Vignal restaient donc mystérieuses. On pensa naturellement à son passé mal connu. Y avait-il là quelque sombre histoire dont le souvenir avait rejoint Vignal et troublé son humeur?

Ce bavardage cessa peu à peu, faute d'informations pour l'alimenter. Un silence se fit spontanément: quelques causeurs s'étant tus au même moment par hasard, un vide s'était créé, dans lequel avaient sombré les autres conversations. Le silence se propagea tel un courant d'air glacé.

Et, dans ce silence surpris et gêné, on perçut l'atmosphère tendue qui régnait dans l'auberge. C'était un malaise diffus, difficile à préciser ou à expliquer.

C'est à ce moment qu'un jeune homme attablé près de la porte redressa la tête en prêtant l'oreille. Ses compagnons de table le virent faire, puis leurs voisins... Bientôt, tous les clients de l'auberge se mirent aux aguets, tel un troupeau de caribous dont les sentinelles ont flairé l'approche des loups. Et on entendit une rumeur de voix qui venait de la rue.

Le forgeron se leva, ouvrit la porte et mit le pied dehors. Les villageois étaient sortis de leur maison. Sur le seuil des portes, ils échangeaient des murmures angoissés et montraient des visages effarés. Bientôt, tous les clients de l'auberge furent dans la rue, cherchant la cause de cet émoi.

Nul ne savait ce qui se passait. Tous les habitants étaient sortis pour se rendre compte de cet étrange malaise dans lequel baignait le village et qui affectait les nerfs de chacun. Partout dans le village, ce n'étaient que murmures interrogateurs et apeurés, silences anxieux et attentifs, regards scrutant la pénombre de ce crépuscule d'automne.

Une fillette pleura. Un vieux sourd demanda ce qui se passait. Une adolescente fiévreuse gémit derrière une fenêtre.

Une grande peur passait dans le village.

Soudain, un silence général se propagea telle une rafale de vent, et toutes les têtes se tournèrent vers le bout de la rue principale. Et l'on vit, tout le monde vit, ce qui se passait sur la route à laquelle s'embranchait l'artère principale du village.

Une troupe d'hommes vêtus de noir et de blanc passait en silence dans le clair-obscur du crépuscule. Pantalons foncés, chemises claires, on ne distinguait pas les traits de leurs visages pâles. Deux de ces hommes portaient un long coffre qui semblait léger, vide peut-être.

Figés devant leurs portes, les habitants regardèrent passer ces inconnus qui défilaient au bout de leur village, venus on ne savait d'où mais semblant se diriger vers un but précis. Le mystérieux cortège passa et disparut de la vue.

Lorsque le cortège se fut éclipsé, personne n'osa souffler mot. La peur figeait tous les villageois dans une attente qui dura d'interminables minutes. Le soir tombait.

Puis, à nouveau, les hommes en noir et blanc reparurent au bout du village, repassant sur la route en sens inverse, comme s'ils revenaient d'accomplir une tâche. Deux d'entre eux ouvraient la marche. Six autres suivaient, portant le coffre sur leurs épaules, tel un lourd cercueil. Les autres fermaient la marche en deux colonnes bien rangées.

Ce qui impressionnait surtout, c'était le silence, ce silence de mort qui régnait dans tout le village et s'imposait même aux animaux. Les hommes en noir et blanc défilèrent ainsi jusqu'au dernier, pour disparaître dans l'obscurité de la campagne, en direction du cimetière. On ne revit jamais à Granverger ces sombres croque-morts du crépuscule surgis de nulle part.

Ceux des villageois qui habitaient au bord de la route s'étaient cachés derrière leurs rideaux et avaient vu où étaient allés ces hommes mystérieux, au nombre de trente.

Ils avaient vu le cortège s'arrêter devant chez le bourreau Vignal. Les deux hommes qui marchaient en tête étaient entrés, suivis d'un colosse portant cagoule et de deux comparses. Quelques minutes plus tard, six hommes étaient entrés à leur tour, deux d'entre eux portant le long coffre vide. Ils étaient ressortis de la maison en le portant sur leurs épaules, à la manière d'un cercueil. Et le cortège était reparti.

* * *

C'est seulement quelques années plus tard qu'on apprit, au village de Granverger, certains détails pouvant éclairer un peu cette affaire. Un voyageur qui s'arrêta un soir à l'auberge à Jean-Loup entendit un client évoquer la grande peur qui avait frappé les villageois ce soir où un cortège funèbre était venu prendre Benjamin Vignal. En entendant ce nom, le voyageur, venu de Neubourg, parla à son tour. À Granverger, on avait surnommé Vignal « le Bourreau » par plaisanterie, à cause de sa mine sombre et de sa fonction de geôlier. Mais on ignorait que Vignal avait bel et bien été, durant les années 1830, le bourreau de la prison de Neubourg. Là, il s'était acquis une terrible réputation de cruauté. Des gardiens racontaient, tout bas, comment Vignal se réjouissait à l'approche d'une exécution à accomplir, et comment il se morfondait quand l'ouvrage venait à manquer.

Un jour, avaient été emprisonnés à Neubourg trente marins d'un voilier, qui s'étaient mutinés et avaient égorgé leurs officiers dans des circonstances obscures. Bien qu'on eût menacé de les exécuter tous, ces farouches matelots avaient refusé solidairement de dénoncer les meneurs de la mutinerie et les vrais coupables des meurtres.

C'était une époque de grande agitation sociale et politique dans le pays. De plus, une vague de criminalité sévissait dans le quartier portuaire de Neubourg, et l'indiscipline se généralisait chez les marins. Il fallait affirmer l'autorité des pouvoirs, rétablir la loi et l'ordre. On avait décidé de rendre une sentence exemplaire dans le cas de cette grave mutinerie. On avait condamné les accusés à la pendaison, tous les trente.

Le bourreau Vignal n'avait pas caché sa satisfaction à l'annonce de cette décision. Il avait affiché une joie cruelle, qui avait effrayé les gardiens et les administrateurs de la prison de Neubourg.

Dans certains milieux, cependant, on s'était ému de la sévérité de cette sentence, qu'on jugeait hâtive et arbitraire. Pendre collectivement trente hommes, dont la majorité était sans doute innocente des crimes reprochés, cela semblait odieux. On avait multiplié les démarches auprès des autorités judiciaires et du gouvernement. Devant tant de pressions, le gouverneur britannique, la veille de l'exécution, avait décidé d'accorder un sursis. On espérait que ceux des mutins qui n'avaient pas personnellement tué des officiers, changeraient d'idée et dénonceraient les vrais meurtriers pour échapper définitivement à la pendaison.

Immédiatement après la décision du gouverneur, un courrier était parti de la capitale en direction de Neubourg. La soirée était déjà avancée. La première grosse tempête de neige de la saison avait éclaté le long du parcours. Ç'avait été une tempête précoce et d'une rare violence, dont on reparlerait durant un quart de siècle. Cela avait beaucoup retardé le messager qui apportait le sursis.

La veille de la pendaison, le directeur de la prison de Neubourg avait songé à reporter lui-même l'exécution de la sentence. Ayant eu connaissance des démarches menées auprès du gouvernement, il avait voulu surseoir aux pendaisons au cas où la décision du gouverneur aurait été clémente. Mais Benjamin Vignal n'avait rien voulu savoir: il tenait trop à ces trente pendaisons. Enfermé une partie de la soirée avec le directeur dans son bureau, il était parvenu à le convaincre de laisser la justice suivre son cours. Nul ne sut jamais exactement ce qui s'était passé dans ce bureau entre le féroce bourreau et le directeur, un homme assez influençable. Un employé affirma avoir entendu les éclats d'une dispute où dominait la voix de Vignal. On s'était même demandé s'il n'y avait pas eu empoignade.

À l'aube, la tempête était terminée et Neubourg se trouvait recouverte d'une épaisse couche de neige qui donnait au silence une qualité spéciale. Des hommes étaient apparus sur la grande plateforme dressée la veille hors des murs de la prison, au-dessus de la porte principale: l'échafaud. Il y avait là des gardes en uniforme, des fonctionnaires, l'aumônier de la prison, les prisonniers en simple chemise dans le froid de novembre. Et le bourreau. Vignal était fébrile; sous la cagoule, on voyait luire l'éclat féroce de ses yeux.

Le directeur de la prison avait eu une suprême hésitation, cherchant des yeux un messager qui n'arrivait pas. Si le gouverneur avait décidé à la dernière minute de gracier les condamnés, son messager ne pouvait-il pas avoir été retardé par la tempête? Mais Vignal n'avait même pas attendu l'ordre du directeur pour glisser au cou des six premiers condamnés les nœuds de chanvre. Les six trappes s'étaient ouvertes simultanément, et six corps s'étaient agités au bout de leur corde. Puis six autres, et six autres, devant les témoins blêmes et la foule muette d'horreur. Et six autres encore.

Il en restait encore six à pendre, six pauvres diables dont peut-être aucun n'avait vraiment pris part aux meurtres, six hommes alignés debout chacun sur sa trappe, quand un cavalier avait débouché sur la place publique enneigée, devant la prison. C'était le messager, exténué. Voyant la scène, il avait crié désespérément le sursis d'exécution.

Mais, faisant le sourd, Vignal avait feint de ne pas remarquer l'arrivée du messager et s'était empressé de déclencher l'ouverture des trappes, sans même attendre que l'aumônier ait présenté le crucifix aux condamnés.

Sévèrement réprimandé, congédié, Vignal avait échappé à d'éventuelles sanctions, on ne savait comment. Il avait disparu de Neubourg et était resté impuni.

Jusqu'à ce que trente spectres vêtus de chemises pâles viennent le chercher à Granverger, au trentième anniversaire de ce drame.

5

Agathe connaît bien des choses

Qu'est-ce que tu regardes par la lucarne, petit monsieur? Tu n'as pas choisi la meilleure fenêtre. Par l'autre lucarne, on voit la haute-ville. Ce sont de belles résidences, n'est-ce pas, Simon? Celle avec des tourelles? Elle est habitée par de mauvaises gens. Il y a de curieuses lueurs aux soupiraux de la cave, certaines nuits. Oui, Simon, elle est inquiétante, cette demeure. Regarde ailleurs, ce sera mieux.

Tiens, on aperçoit aussi, au pied de la falaise, la résidence des Beaumarchais. Et, tout à côté, celle qui a appartenu à une branche des Davard jusqu'au début du siècle. C'est de l'autre bord de la Michikouagook. Il faut savoir où regarder, entre deux côtés de maisons, là bas: on ne voit qu'une partie de leurs toitures.

Mais du côté où tu regardes, toi, petit monsieur, la vue ne porte pas très loin: des toits, des cheminées, des pignons... Si mon logis était plus haut, on verrait vers l'ouest jusqu'à la Butte St-Imnestre. Quand j'étais fillette, les rues et les demeures ne couvraient pas toute la Butte, elles ne descendaient pas jusqu'au canal — d'ailleurs, il n'y avait pas encore de canal. Au flanc de la butte, il restait des pâturages, des bosquets, des potagers, surtout sur le versant sud. Le site de l'ancien fort était encore dégagé.

Le fort, petite demoiselle? Mais oui, il y a déjà eu fort au sommet de la Butte St-Imnestre. Voilà deux siècles, les Français l'avaient construit, sans le savoir, sur l'emplacement d'une pierre magique. Je dis une pierre, mais c'est le roc même de la colline qui affleurait à cet endroit. Tous les pouvoirs surnaturels se trouvaient accrus, en ce lieu. Ma grand-mère Abigué le savait bien, elle disait «la magie attire la magie». Si une personne était voyante, elle voyait plus loin lorsqu'elle se tenait sur la pierre magique. Si elle avait parfois des prémonitions, sa vision du futur était plus sûre et plus précise sur la colline magique. Si la personne pratiquait la sorcellerie, ses maléfices prenaient de la puissance sur cette fameuse roche. Si elle se servait d'un objet magique, cet objet était plus redoutable en ce lieu.

De nos jours, personne ne sait exactement où se trouve cette roche.

Enlevée? Mais non, petit monsieur, tu n'écoutes pas ce que je dis. Ce n'était pas une pierre qu'on pouvait déplacer, c'était le bout d'un énorme rocher incrusté dans la colline, et il dépassait un peu de la terre. C'était le rocher même qui formait la Butte.

Tu penses, Simon, qu'il y a peut-être une rue qui passe maintenant dessus? Ou encore qu'elle est sous un jardin? Pas tout à fait. Je vais vous dire: en fait, il y a une maison qui a été construite directement sur la pierre magique. La pierre doit être là, dans la cave de cette maison, elle a dû être mise à nu quand les ouvriers ont creusé pour faire les fondations de la maison, et ils n'ont pas pu l'enlever puisqu'elle fait partie de la colline.

Anne Vignal connaissait sûrement cette pierre.

Vos yeux brillent de curiosité, petit monsieur, petite demoiselle, et toi Simon... Je vous regarde tous les trois, et vous me faites penser à ce trio d'amis que j'observais de loin, quand j'en avais l'occasion: Philippe Bertin, Anne Vignal, Colette Michay. Je ne vous ai pas encore parlé de Colette Michay. Elle avait à peu près l'âge d'Anne; elles ont été très proches, surtout quand Colette a perdu son père à la guerre. Anne était très sensible, elle pouvait faire du bien aux gens simplement en les écoutant se confier et en leur murmurant ce qu'ils voulaient entendre dans leurs moments de chagrin.

Non, je ne pense pas qu'il soit arrivé de choses extraordinaires à Colette Michay: elle s'est mariée très jeune, vers seize ans je crois. Tu imagines, petite demoiselle, seize ans! Cela se faisait assez souvent, encore à cette époque. Elle a eu un fils nommé Gustave, puis son époux est mort après une quinzaine d'années de mariage.

Après ça, elle est allée vivre avec sa propre famille dans un splendide manoir à Granverger — je devrais dire le manoir de Granverger, car il y en a juste un.

Ah, tu sais quand m'arrêter, toi, petit monsieur. S'il n'est rien arrivé d'étrange à Colette Michay, tu veux entendre l'histoire d'une autre personne. C'est qu'il leur en est arrivé des choses, aux Michay! Des choses tragiques, toujours: ils mouraient souvent jeunes... des accidents, parfois des meurtres déguisés, peut-être... Pour Raynald Michay, c'est difficile de dire s'il est mort. Raynald était un petit-neveu de Colette Michay. Il devait avoir douze ans, à peu près, en 1878.

Non, Simon, je ne sais pas s'il est mort. C'est peut-être pire que ça.

6

Le coffret

Le soleil printanier mettait dans les rues du faubourg St-Imnestre une atmosphère de gaieté inusitée. Le ciel bleu, les voix qui résonnaient comme des rires dans l'air limpide, le vent doux, tout cela mettait des sourires aux lèvres des gens.

Yves Garreau et Raynald Michay habitaient la basse-ville de Neubourg. Ce jour-là, malgré l'interdiction de leurs parents, ils avaient traversé la Michikouagook et s'étaient aventurés dans le faubourg St-Imnestre. Jusque là, ils n'en avaient jamais vu que les premières maisons, dont les façades se reflétaient dans les eaux sombres de la petite rivière.

Les deux gamins y erraient maintenant. Ils se savaient égarés, mais s'en souciaient peu, à cause de ce printemps si gai qui allégeait les têtes. Ils cueillirent deux fruits sur l'étal d'un vendeur, Place du Marché. Puis ils s'enfuirent le long d'une rue, tournèrent dans une ruelle, puis dans la petite rue De LaCroix. Ils s'arrêtèrent, essoufflés, fiers de leur coup, riant de la colère du marchand.

Les passants étaient rares dans cette rue en pente, trop étroite pour que le soleil rejoigne le sol. L'air y avait une fraîcheur d'ombre, vive et enivrante. On entendait grincer rabots et scies dans une menuiserie d'où venait une senteur de bois franc. Un cheval gris approchait, emplissant l'air d'un fracas de sabots et de roues sur le pavé. Pour laisser passer la voiture dans l'étroite ruelle, Yves et Raynald se rangèrent dans l'entrée d'une impasse.

À peine plus large qu'une voiture, ce cul-de-sac était bordé de maisons dont les toits semblaient si rapprochés qu'un chat aurait pu sauter de l'un à l'autre. Aucun visage ne se montrait aux fenêtres, sauf celui d'une vieille femme apparemment aveugle.

Vers le fond du cul-de-sac, deux chatons jouaient parmi les rebuts. Reynald les vit qui se chamaillaient, mignons et patauds. Yves et lui, charmés, s'en approchèrent. Mais les petits chats s'enfuirent par une entrée de cour. Yves et Raynald les suivirent en les appelant, sans songer qu'ils s'introduisaient dans une propriété privée.

Le passage menait à une arrière-cour sentant le dégel et le matou. À droite, la cour était fermée par une vieille muraille, vestige du fort qui se dressait là au temps de la colonie. À gauche, un auvent incliné recouvrait un petit hangar adossé au mur de la forge voisine. Au fond de la cour se dressait une haute palissade de bois. Un lierre recouvrait la palissade et la vieille muraille de pierre.

Tout était désert et calme. On ne distinguait que les tintements du fer sur l'enclume qui parvenaient assourdis de la forge voisine. Quelques fenêtres donnaient sur cette cour, mais aucune silhouette ne se profilait derrière les rideaux.

S'attendant à tout moment de voir surgir une ménagère qui les chasserait de là, Yves et Reynald cherchaient les chatons. Un miaulement attira leur attention vers une chatière pratiquée au pied de la palissade. Les petits félins venaient de se faufiler de l'autre côté. Les garçons ne pouvaient les y suivre. Mais, en grimpant sur quelques barils, les deux amis purent atteindre le toit incliné du hangar. Marchant sur l'auvent de tôle rouillée, ils arrivèrent à la palissade et regardèrent par-dessus.

Leurs regards émerveillés tombèrent sur un jardin des plus charmants. Ombragé par quelques grands arbres, il semblait entretenu avec amour. Le gazon y était déjà vert. Les bosquets bourgeonnaient et les premières fleurs de la saison montraient leurs couleurs. Au centre, une fontaine se dressait dans un large bassin de pierre. Des bancs de fer forgé, quelques statues d'inspiration classique décoraient le jardin sans l'encombrer.

Il était borné d'un côté par la palissade de bois. La muraille de pierre renforcée de contreforts formait un angle et délimitait deux autres côtés du jardin. Le carré était fermé par une maison à façade blanche, aux châssis, aux volets et aux portes en bois clair. La maison avait un rez-de-chaussée, un étage et un grenier sous le toit en pente orné de lucarnes. Il n'y avait aucun signe de vie dans la maison ni dans le jardin, à part les chatons qui jouaient dans l'herbe.

Yves et Raynald hésitèrent un instant, puis se décidèrent à sauter dans le jardin. Ils n'en étaient pas à leur première visite clandestine dans un jardin ou un verger privé. Les petits chats s'en furent vers la demeure et disparurent par un soupirail.

Les deux copains s'approchèrent de la maison, redoutant la brusque apparition d'un propriétaire en colère. Mais, derrière les vitres poussiéreuses du rez-de-chaussée, on ne distinguait que le vide d'un logis inoccupé. De fait, quand ils collèrent leur visage aux carreaux, Yves et Raynald ne virent que de grandes pièces sans meubles. Dans le jardin, le silence était total, troublé seulement par le chant occasionnel d'un oiseau.

Ce fut Raynald Michay qui découvrit que l'une des portes n'était pas fermée à clé. Les garçons hésitèrent un moment, puis entrèrent. Les murs étaient blancs et propres, les planchers clairs, l'air sec. C'était le rez-de-chaussée d'une honnête maison. On y imaginait volontiers un couple de vieillards profitant doucement de leur retraite.

Du moins, c'était la première apparence. Raynald ouvrit une porte et les deux amis entrèrent dans une salle immense. Les fenêtres s'étiraient en hauteur vers un plafond si élevé qu'il donnait le vertige, comme la voûte d'une cathédrale.

La salle changea de forme. Le plafond redescendit à sa hauteur normale, mais les murs s'écartèrent pour créer un espace grand comme un hall de gare. Étourdis, les deux jeunes vacillèrent.

La salle à nouveau se modifia, deux murs se rapprochant, deux autres s'éloignant à perte de vue, allongeant sans fin un immense corridor. Pris d'épouvante, Yves et Reynald voulurent rebrousser chemin, mais la porte s'était enfuie vers le bout lointain du couloir.

L'hallucination cessa. La salle redevint en apparence une simple chambre. Médusés, les garçons restèrent immobiles, doutant de leurs sens et de leur raison. Ils se regardèrent l'un l'autre, pâles, chacun se demandant si l'autre avait bien vu la même chose. Le jeune Michay esquissa un sourire forcé, comme pour se moquer de sa propre frayeur. Un peu de calme leur revint.

Yves se dirigea vers une porte. Raynald sursauta et porta les mains à ses oreilles: le bruit des pas de son ami lui parvenait comme un fracas assourdissant. Quand Yves ouvrit le battant, le grincement des gonds fit grimacer Raynald.

Et l'exclamation que lança Yves devint un hurlement strident à lui déchirer les tympans.

En ouvrant la porte donnant sur l'escalier de la cave, Yves avait eu une exclamation de frayeur: il se trouvait perché au bord d'un gouffre insondable. Un vertige le saisit et il se sentit aspiré vers ce vide. Au dernier instant, il se rattrapa au chambranle de la porte.

Le sens des proportions lui revint un peu. Il reconnut qu'il était au sommet d'un escalier abrupt, et que la cave n'était pas très profonde. Il ne fut pas longtemps rassuré. Deux fauves surgirent et bondirent vers lui. Il n'eut que le temps de s'écarter pour les laisser passer. Raynald entendit les terribles feulements des bêtes. Se retournant, il les vit foncer vers lui. Mais les félins ne s'attardèrent pas et disparurent en quelques bonds. Incrédules, les deux amis réalisèrent que c'étaient là les deux chats qu'ils avaient suivis jusque dans la maison. Pendant un long moment, il ne se passa plus rien, et les garçons purent croire que leurs hallucinations étaient terminées. Mais ils n'étaient pas au bout de leurs émotions.

Un mouvement attira leur attention vers la fenêtre. Ils y voyaient une branche d'arbre et un grand pan de ciel bleu avec un petit nuage. Or la branche et le nuage se mirent à tourner, d'abord lentement, puis de plus en plus vite. Étourdis, les garçons sentaient monter en eux le vertige et la nausée. Dehors, l'arbre et le ciel tournoyaient à une allure de plus en plus folle.

Puis, cela s'estompa en une brume blanchâtre. Nuées et brouillard déferlaient maintenant avec lenteur derrière la vitre. La brume devint fumée. Les volutes se teignirent du rougeoiement de flammes invisibles. La scène s'obscurcit et tout devint noir derrière la fenêtre. Les deux camarades, terrorisés, contemplèrent un instant ce néant insondable.

Le ciel bleu et la branche d'arbre revinrent soudainement et les hallucinations cessèrent. Yves et Raynald sombrèrent dans un demi-sommeil qui ne dura qu'un moment. Quand ils revinrent à la réalité, ils venaient inconsciemment de se relever. Ils se tenaient debout, un peu faibles, sans souvenir de leurs hallucinations. Blêmes et désorientés, ils se regardèrent un instant sans comprendre.

Les deux chatons passèrent en courant. Ils traversèrent la chambre et entrèrent dans une pièce voisine par une porte entrouverte. Les garçons les suivirent dans cet autre appartement.

Un coffret s'y trouvait, simplement posé sur le plancher. C'était un coffret de bois, artistement travaillé, muni d'une délicate serrure dorée. Un petit miroir se trouvait encastré sur le couvercle. Un brillant rubis, taillé en facettes, était serti sous la serrure. Il semblait luire d'un feu intérieur, telle une flamme dans une minuscule lanterne. Cette lueur augmentait et diminuait d'intensité dans une lente pulsation.

Fascinés, les enfants s'en approchèrent. Raynald Michay se pencha et prit le coffret d'une main hésitante. Il fut étonné par son poids inattendu. Quel trésor y était enfermé? C'est alors qu'Yves aperçut l'aura qui entourait l'objet. Cela se distinguait à peine. C'était une distorsion de l'air comme il s'en produit autour d'un objet brûlant. Mais il n'y avait pas de chaleur.

Le petit miroir sur le couvercle semblait acquérir une certaine transparence, tel un minuscule hublot révélant l'intérieur du coffret. Derrière cette vitre apparurent des lueurs multicolores qui se mirent à tournoyer, bleues, or, rouges ou vertes. Les deux amis ne bougeaient plus, captivés par ce prodige. Enfin, Raynald Michay, sans avoir prémédité son geste, ouvrit le couvercle.

Ce fut un déferlement de nuances, comme si d'épaisses volutes de fumée multicolore s'étaient échappées du coffret, ou comme si on avait versé des huiles teintes dans une eau limpide. Les couleurs envahirent la pièce, riches et chatoyantes, bleu royal, violet, carmin, vermillon, jaune vif, vert émeraude, une profusion de nuances éblouissantes. Les nuages de couleur semblaient éclairés de l'intérieur. Ils entourèrent instantanément les garçons, qui se sentirent flotter dans cette effusion de lumière. Des lucioles filaient en dessinant des courbes qui luisaient un moment avant de s'estomper. Un véritable feu d'artifice entourait les deux amis, et ses dimensions dépassaient celles de la maison.

Le spectacle n'était pas que visuel: de douces odeurs, des parfums enivrants, gonflaient leurs narines. Une musique emplissait leur tête, la musique du vent à travers des lames de cristal ou des tubes d'argent.

Cela ne dura qu'un moment, qui parut une heure. Puis, des images se formèrent et un grand froid saisit Yves et Reynald. Ils voyaient les profondeurs secrètes de la mer, d'un bleu-vert infiniment riche, s'assombrissant vers le bas en un indigo intense. Là brillaient du corail rose et des plantes transparentes tel du cristal. Là nageaient des poissons fabuleux, orange ou blancs, et dansaient de longues algues noires.

Ils contemplèrent l'immensité de l'univers, peuplée de sphères translucides qui luisaient de feux intérieurs. Ils virent des soleils nains à l'éclat féroce, des nébuleuses tels des voiles azur ou roses. Ils virent aussi le temps, qui filait éternel et traversait des univers inconcevables.

Puis, les images devinrent plus effrayantes. Tous les fléaux, tous les désastres, tous les cataclysmes déferlèrent autour des jeunes amis. C'étaient des ouragans aux vents cinglants, des tornades qui enlevaient les corps des deux garçons comme des fétus de paille, un flanc de montagne s'affaissant en un torrent de boue pour étouffer et noyer les deux amis. C'étaient les flammes déchaînées de l'enfer, qui brûlaient leurs chairs jusqu'à l'os, ou les abysses opaques de l'océan, peuplées de présences sournoises. C'étaient de suffocantes tempêtes de sable dans des déserts torrides, la chaleur étouffante des jungles et le grouillement des mygales, des volcans vomissant le feu même de la terre. Autant de tourments qu'Yves et Raynald subissaient dans leur corps même, tordant leurs entrailles, leur soulevant le cœur.

Des visages tournoyaient autour d'eux ou défilaient en cortèges tragiques. C'était le voyageur perdu dans la steppe, l'aventurier égaré dans les marais, l'explorateur qui gèle sur la banquise, le naufragé qui va être engloutit par la vague, le plongeur happé par un requin, le mineur emmuré vivant et l'alpiniste qui voit sa corde se rompre. C'était le supplicié, l'écorché vif, l'enterré vivant, celui qui est dévoré par les crabes, le lépreux dont les doigts tombent l'un après l'autre. Chacun revivait là pour l'éternité l'horreur de ses souffrances et de sa mort. Et les deux amis étaient tour à tour chacun de ces suppliciés. Ils vivaient, en des instants qui duraient des heures, l'épouvante, l'horreur et l'agonie de chacun. C'était l'essence même de toutes les peurs qui s'échappait du coffret, emportant les deux garçons dans son flot impétueux.

Pandore*, au temps jadis, avait ouvert pareille boîte.

* * *

-----

* *Pandore* : personnage de la mythologie grecque, femme d'une grande beauté à qui Zeus donna une boîte pleine de désastres et de misères, en lui défendant de l'ouvrir.

Gustave Philanselme, antiquaire et horloger, tenait boutique dans le faubourg St-Imnestre. Son magasin était vaste, à peine éclairé. Des objets de toute sorte étaient étalés sur les tables et les étagères: bibelots, figurines et statuettes, potiches, lampes, et plusieurs beaux objets en fer forgé car le père de Gustave Philanselme avait été ferronier.

Une pièce mieux éclairée s'ouvrait au fond de la salle et en était séparée par un comptoir. Les murs de ce petit atelier étaient cachés par des étagères chargées de pendules, horloges, montres et cadrans de tous âges. Les innombrables tic-tac créaient une rumeur incessante.

Le propriétaire de l'établissement, assis derrière son comptoir, parlait avec un visiteur qui venait d'entrer. Philanselme avait près de soixante ans, les cheveux rares, la peau ridée autour des yeux, qu'il avait bleus et vifs. Son visiteur avait peut-être dix ans de moins. Il était aussi maigre que lui, mais ses cheveux grisonnants étaient abondants et mal peignés. Il se nommait Siméon Lescar, magicien de son métier. Les deux hommes étaient amis, et l'antiquaire fournissait parfois des accessoires au magicien pour ses spectacles.

— Sans ce coffret, disait Siméon, je suis impuissant, je ne suis plus qu'un vulgaire illusionniste, un prestidigitateur.

— Comment as-tu pu le perdre, vieil apprenti-sorcier?

— J'ai tourné la clé dans le mauvais sens.

— Tu étais ivre? lui reprocha Philanselme.

Siméon ne répondit pas.

— Et le coffret a disparu?

Siméon émit un grognement en guise de réponse. L'antiquaire soupira. Il se leva et s'éclipsa au fond de son échoppe en demandant à son visiteur d'aller verrouiller la porte du magasin. Quelques minutes s'écoulèrent, puis Philanselme fit entrer Siméon dans son arrière-boutique obscure. Sur une table était posée une bouteille que l'antiquaire venait de sortir d'un coffre-fort secret.

— La bouteille d'Arthanc! murmura Siméon, admiratif.

C'était une bouteille carrée, de fin cristal, dont les quatre faces étaient délicatement taillées. Le goulot était cerclé d'argent et le bouchon était du même métal. La bouteille, scellée, contenait un liquide violet. Même l'amateur d'art le plus cultivé ou l'historien le plus savant n'auraient pu deviner l'origine de cette bouteille. On voyait seulement qu'elle était fort ancienne, ses parties métalliques un peu ternies malgré les soins que Philanselme lui consacrait sûrement.

— Me diras-tu un jour d'où tu la tiens? demanda le magicien Lescar.

L'antiquaire ne répondit pas; il avait dans son arrière-boutique certains objets que bien des gens convoitaient, mais il n'en parlait pas volontiers. Il invita son visiteur à s'asseoir. Ils se placèrent de part et d'autre de la table.

— Concentre ta pensée sur le coffret qui a disparu. Évoque son image.

Longtemps, il ne se passa rien. Ensuite, des lueurs mauves apparurent au cœur même de la bouteille, à peine visibles, puis de plus en plus claires. Elles passèrent au bleu, puis au vert, en de lentes pulsations à peine perceptibles. Ensuite elles augmentèrent d'intensité, jusqu'à jeter des éclats éblouissants.

— Elle a été créée au temps jadis par des mages puissants, murmura Philanselme en parlant de la bouteille.

Des ombres y tournoyaient, des étoiles minuscules y scintillaient. Puis, ce mouvement fit place à des visions plus concrètes. Les deux hommes, fascinés, observaient avec attention. L'image du coffret apparut, né de la pensée de Siméon.

— C'est un coffret aux pouvoirs formidables, chuchota le magicien. Il contient l'essence même de tous les maux, de toutes les épouvantes. Celui qui le contrôle, domine des forces redoutables. Même Pandore, comblée des dieux, n'a su la maîtriser.

— Il s'agit maintenant de découvrir où il est.

Une nouvelle image se forma dans les profondeurs lumineuses de la bouteille. À travers les motifs givrés du verre, on voyait le panorama d'un quartier de maisons à flanc de colline.

— Ah, il est tout près, dans St-Imnestre même, dit Philanselme à voix basse.

Une autre image se substitua lentement à la précédente, celle d'un beau jardin entouré de murs et d'une maison blanche au toit incliné.

— Il est dans cette demeure, ce n'est pas surprenant, dit l'antiquaire. Comme la foudre est attirée par le paratonnerre, ainsi le coffret magique a été attiré par cette maison.

— Tu la connais? Qu'est-ce qu'elle a de particulier?

— Tu le sentiras bien en l'approchant. Elle a d'étranges propriétés. Il doit s'y passer des choses bizarres. Dès sa construction, paraît-il, on la disait ensorcelée.

Une nouvelle image apparut peu à peu dans la bouteille lumineuse. On y voyait une chambre aux murs blancs et nus. Sur le plancher de bois gisait le coffret, grand ouvert.

— Satan! s'exclama Siméon. Il a été ouvert! Malheur à celui qui l'a touché!

— Allons-y vite! décida Philanselme. Je connais le chemin.

* * *

Les ruelles du faubourg St-Imnestre étaient déjà pleines des ombres de la fin du jour quand les deux hommes s'engagèrent dans la rue des Fortifications.

— C'est ici, murmura Philanselme en désignant un portail à deux battants découpé dans l'épaisse muraille de pierre.

Les portes étaient massives.

— C'est vrai que cette maison est ensorcelée, chuchota Siméon. Je le sens.

L'horloger tira de sa poche un trousseau de passe-partout, qu'il entreprit d'essayer tour à tour. Cela relevait d'un métier qu'il avait appris adolescent et n'avait pas exercé depuis longtemps. Ce fut plus difficile que prévu. Pendant ce temps, le magicien, silencieux, semblait très attentif, comme s'il épiait le silence de la ruelle déserte. Sans doute avait-il senti la présence du coffret dans la demeure.

Enfin, Gustave Philanselme parvint à ouvrir la porte. Ils entrèrent dans une sorte de passage ménagé entre la muraille et la maison. À gauche s'ouvrait le jardin, qui commençait à se remplir d'ombre à l'heure de la brunante. Les seules portes de la maison s'ouvraient dans la façade qui donnait sur ce jardin. La première, donnant sur le rez-de-chaussée, n'était pas fermée à clé: ils entrèrent.

— Reste ici, conseilla Siméon à son compagnon, ne bouge pas. Accroche-toi au chambranle de la porte et ne t'affole pas de ce que tu verras. Ce seront seulement des illusions générées par le coffret: il a perçu notre présence.

En effet, la pièce, dans sa sombre grisaille, commençait déjà à changer de dimensions. Elle devint tour à tour extrêmement haute, puis fort large, puis très longue, après quoi le plancher se mit à s'incliner en une pente de plus en plus abrupte. Philanselme chancela, pris de vertige.

Mais il resta accroché au cadre de la porte, tandis que le magicien lui répétait:

— Ne crains rien, ça passera.

La pièce continuait de se retourner et le plancher devint plafond. Les deux hommes semblaient suspendus à l'envers au-dessus du sol qui, lui même, disparaissait vers le bas. Mais la pièce revint soudain à l'endroit.

— J'y vais, reste ici, murmura Siméon, et son murmure se gonfla en une grande clameur, tandis que ses pas étaient autant de fracas.

Il traversa la pièce et entra dans la chambre voisine. Pendant ce temps, Philanselme voyait l'appartement tournoyer vertigineusement.

Le magicien ferma derrière lui la porte de la chambre. Sur le plancher gisait le coffret ouvert. Déjà, des volutes de lumière commençaient à s'en échapper, comme pour accueillir le visiteur.

L'homme sortit de sa poche une clé suspendue à une chaînette. Dorée, cette clé était sertie d'un rubis semblable au joyau encastré sous la serrure du coffret. Les deux pierres brillaient et leur lumière rouge fluctuait au même rythme. Muni de cette clé, le magicien était maître du coffret et des puissances maléfiques qui s'y trouvaient. En une langue ancienne, qui était celle des créateurs de la boîte, Siméon commanda à ces forces de refluer et de rentrer dans le coffret. Ce fut une lutte terrible, dans laquelle le magicien jeta toutes ses énergies psychiques. Le combat fut intense mais bref. L'homme triompha: il était un puissant sorcier. D'un bond, il fut sur le coffret, dont il ferma le couvercle. Il donna deux tours de clé.

Les hallucinations avaient cessé quand Siméon, épuisé, rejoignit l'antiquaire dans le jardin.

— C'est gagné, annonça-t-il d'une voix lasse. J'en suis maître à nouveau. Sans ton aide, je ne l'aurais jamais retrouvé. Pour te récompenser, Gustave, je vais te montrer les merveilles qu'il contient. Peu de gens les ont vues. Regarde.

Il montra le petit miroir encastré sur le couvercle, et donna un tour de clé. Le rubis se mit à briller sous la serrure, sa lueur entrant en pulsations au rythme des forces intérieures. La glace devint transparente et laissa voir des lueurs qui tournoyaient, des étoiles qui scintillaient brièvement, éblouissantes étincelles. Puis, des images prodigieuses apparurent, révélant les splendeurs de l'univers et les arcanes du temps. Vinrent ensuite les scènes catastrophiques, le déchaînement de tous les éléments destructeurs. Ce fut enfin le terrible défilé des visages, les visages de la terreur, du désespoir, de la détresse et de l'agonie. Un flot sans cesse renouvelé par les sources du malheur.

Deux nouveaux visages, parmi tant d'autres, s'étaient inscrits dans ce tragique cortège, celui de deux enfants à jamais plongés dans l'épouvante.

7

Agathe connaît bien des gens

Oui, Simon, le Gustave Philanselme de cette histoire est bien ton grand oncle, l'oncle de ta mère. C'est par lui que j'ai su une partie de l'histoire, mais pas toute, car lui-même n'en connaissait qu'une portion. La bouteille? Oui, elle existe, cette bouteille magique, et peut-être qu'un jour il acceptera de te la montrer. Il n'a presque plus de famille, ni frère, ni sœur; il n'a eu qu'un fils, qui est parti en voyage depuis quelques années et n'est jamais revenu.

Tu es surprise que je connaisse autant de gens, petite demoiselle? C'est simplement parce que je suis très observatrice et que j'ai beaucoup de mémoire. Quand tu seras rendue à mon âge, tu auras rencontré autant de gens que moi et il y aura beaucoup de personnes qui te seront apparentées, par ta propre famille ou par alliance.

Simon! Remets cet écrin où tu l'as pris! Non, ne l'ouvre pas, petit effronté! Remets-le dans le tiroir. Voilà. Referme le tiroir, maintenant. Je comprends ta curiosité, Simon: c'est une belle commode du temps des rois de France, et les poignées des tiroirs sont comme de gros bijoux. Mais il ne faut pas fouiller dans les meubles des gens: parfois, ça peut se retourner contre toi.

Ce qu'il y avait dans l'écrin noir? Si j'avais voulu que tu le saches, je t'aurais laissé l'ouvrir, Simon. Disons simplement qu'il existe des choses qu'il vaut mieux laisser à leur place. Certains Davard auraient bien fait de respecter ce conseil de prudence. Les Davard, petit monsieur? C'est une famille qui est au pays depuis les tout débuts de la Nouvelle-France. Et qui s'intéresse à la sorcellerie depuis cette époque aussi. Du moins, certains Davard. Quelques-uns avaient la mauvaise habitude de voler des choses, ou de regarder des choses qui ne leur appartenaient pas, et qu'ils auraient mieux fait de laisser où elles étaient.

Et ce n'est pas un hasard, si je prononce le nom de Davard après avoir parlé d'un Michay. Ces deux familles-là sont liées par la haine, même si elles sont issues d'un même ancêtre. D'ailleurs, il y a eu une Bertin mariée à un Davard, un Vignal marié à une Bertin, une Michay mariée à un Jussiave, et que sais-je encore. Tout ce monde habitait la basse-ville de Neubourg et se connaissait. Oui, me voilà repartie, petit monsieur. Tu sais m'arrêter, n'est-ce pas, quand je parle de généalogie.

Oui, il est arrivé bien des choses aux Davard, certains ont eu un destin tragique. Je pourrais vous raconter une histoire, cela s'est passé cette année même, en 88, et l'affaire s'est terminée voici quelques semaines. Elle concerne un jeune peintre dont la mère était une Davard. Parfois il faisait aussi de la sculpture, et alors il signait ses œuvres « Davard-Frégeau ». Mais, quand il peignait, il signait ses toiles « Frégeau » tout court. Ne me demandez pas pourquoi. Un caprice d'artiste, tout simplement. Il ne se souciait pas beaucoup des Davard. Je sais qu'il fréquentait son cousin Patrice Davard, mais je crois qu'il ne s'intéressait guère à ses rivalités et aux querelles de famille. Quand son cousin l'a payé pour qu'il aille fureter chez le libraire Jussiave, Frégeau aurait mieux fait de refuser.

8

La fresque aux trois démons

— Comment, vous êtes encore ici?!

Le libraire Jussiave allait éteindre les lampes dans le salon de lecture lorsqu'il vit que l'un de ses clients était encore là. Il le croyait parti depuis l'heure du dîner. Le jeune homme était assis dans un fauteuil à dossier haut, placé face à un coin de la salle. En demeurant immobile toute la soirée, il avait pu passer inaperçu.

— Le librairie ferme à six heures! ajouta Guillaume Jussiave, irrité par la présence clandestine du client. Vous avez déplacé votre fauteuil pour que je ne vous voie pas. Vous avez éteint cette lampe à côté de vous pour que je vous croie parti.

— Et ces gens qui ont passé la soirée ici, votre boutique n'était pas fermée pour eux? demanda le jeune homme sur un ton narquois.

— Ce sont des habitués qui se réunissent ici tous les mercredi soirs. Quant à vous, vous n'étiez pas invité!

La mauvaise humeur de Guillaume Jussiave lui donnait une figure de dieu en colère. Il avait une barbe grise et blanche, une abondante chevelure, des sourcils broussailleux. Ses yeux brillaient de colère.

L'indésirable répliqua:

— Malheureusement, non, je ne suis pas membre de votre cercle d'érudits. Mais j'ai trouvé intéressante votre discussion sur la « Stéganographie » de l'abbé de Tritheim*.

Jussivave était très robuste. Il dut se retenir pour ne pas empoigner l'importun par les revers de sa veste et le secouer tel un gamin malcommode.

— C'est de l'espionnage, rien de moins! tonna le libraire. Pourquoi êtes-vous resté?

Le client, un jeune homme mince et de haute taille, n'avait pas perdu son assurance. Avec un sourire ironique, il expliqua:

— Je n'ai pas trouvé exactement ce que je cherchais, dans tous ces livres que vous m'aviez prêtés. J'espérais que vous auriez autre chose à me proposer dans le domaine qui m'intéresse.

— Je vous ai montré tout ce que j'avais en fait d'images sur les démons. Si aucun de ces albums ne vous a inspiré, eh bien il ne vous

---

* *Johannès Heidenberg* (personnage authentique) est né à Tritheim (Allemagne) en 1462. Il devint bénédictin en 1483, dirigea les abbayes de Sponheim et de Wurzbourg et s'adonna à l'astrologie, l'alchimie et la magie. Il mourut en 1516.

reste plus qu'à descendre aux enfers et à demander à Satan lui-même de poser pour un portrait!

— C'est bien ce que je devrai faire, répondit le jeune homme sur un ton narquois. Vous êtes sûr de ne pas posséder un vieux grimoire* dont les illustrations m'intéresseraient?

— Rien! tonna le libraire, excédé.

— Eh bien, fit l'autre en se levant, il ne me reste plus qu'à vous remercier.

— Il n'y a pas de quoi. Cette fois, je vous raccompagne!

Pendant que Jussiave reconduisait son client importun à la porte de la librairie, sa colère eut le temps de s'apaiser pour faire place à la curiosité. Ce personnage était intrigant, malgré son arrogance. Lorsqu'il s'était présenté au bureau du libraire, cet après-midi, Jussiave était certain de l'avoir déjà vu. Et quand le jeune homme lui avait expliqué ce qu'il cherchait, Jussiave s'était souvenu de son identité: c'était Philippe Frégeau, un peintre très doué. Plusieurs le considéraient comme un génie, bien qu'il n'eût pas encore trente ans. Depuis deux ou trois ans, il s'était fait connaître par des œuvres insolites, très violentes et le plus souvent horribles. Jussiave était allé au vernissage de son exposition quelques semaines auparavant; elle avait pour thèmes la souffrance, le désespoir et l'épouvante. On y remarquait par exemple un ca-

---

* *Grimoire*: livre de magie à l'usage des sorciers.

davre se levant de son tombeau dans une crypte funéraire, un condamné à mort rôtissant au-dessus d'un bûcher, une femme dévorée par les rats, une prisonnière soumise à la torture. On y voyait un fugitif pourchassé par des chiens, un captif en proie à des hallucinations dans son cachot, un supplicié revenant hanter ses bour-reaux après son trépas. Il y avait bien d'autres scènes aussi macabres. Elles étaient si réalis-tes et si effrayantes qu'elles bouleversaient les âmes sensibles. Elles laissaient une impression de malaise, même chez les plus endurcis.

L'établissement de Guillaume Jussiave était spécialisé dans l'occultisme. Le libraire y tenait aussi un salon de lecture où on pouvait consul-ter sur place des livres rares qui lui apparte-naient pesonnellement et qu'il ne mettait pas en vente. Frégeau s'y était présenté pour feuil-leter des ouvrages de démonologie. Il voulait en examiner les illustrations.

En effet, on lui avait confié la tâche de pein-dre une fresque dans la cathédrale de Neu-bourg. Il cherchait des modèles originaux pour les démons qu'il devait représenter, vaincus par le Christ. L'art médiéval est riche en représen-tations de l'enfer. Jussiave avait prêté à son client de nombreux livres d'art montrant de tel-les œuvres, ainsi que des ouvrages plus spécia-lisés. Mais, apparemment, ce n'est pas tout à fait ce que cherchait le jeune homme. S'était-il caché pour rester dans la librairie et commettre un vol durant la nuit? C'était probable. Toutefois le libraire ne l'avait pas surpris en flagrant délit et il pouvait seulement le mettre à la porte. Il aurait bien aimé savoir si Frégeau avait agi seul ou si d'autres personnes lui avaient demandé d'aller fouiner à la librairie.

Guillaume Jussiave retourna à ses appartements, tout en songeant avec irritation à l'intrusion de Frégeau. Rien de très secret n'avait été dit durant la conversation de ses invités, écoutée en cachette par le peintre. C'était quand même insultant pour Jussiave, de savoir qu'une de ses réunions privées ait été espionnée avec autant de facilité. Des propos bien plus confidentiels auraient pu être surpris aussi facilement.

Jussiave eut un soupir agacé. Il passa dans son salon-bibliothèque, le saint des saints où peu de gens avaient accès. Il se demanda s'il ne devrait pas retourner à la galerie d'art où Frégeau exposait, et converser avec le propriétaire de la galerie, qu'il connaissait bien. Lorsqu'on se méfie de quelqu'un, il est bon d'en savoir le plus possible sur lui.

* * *

— Nomme les Trois!

Sur une estrade de deux marches, tapissée de velours noir, se dressait un homme très grand, drapé d'une robe indigo, portant un masque argenté, diabolique. Les mains écartées du corps, ses bras formaient un V renversé.

Derrière lui, seul éclairage dans la vaste salle obscure, une grande verrière sombre était illuminée par derrière, par un foyer aux flamboiements lents et silencieux.

— Nomme les Trois! répéta l'homme en indigo, de sa voix profonde et grave.

Ses yeux brillants d'exaltation derrière son masque, l'hiérophante* avait le visage penché vers celui qui se tenait debout au pied de l'estrade. C'était Guillaume Jussiave, le buste légèrement incliné dans une attitude de soumission, tel un disciple devant son maître. Il était vêtu seulement d'une tunique brune, sans manches, courte et grossière.

— Nomme les Trois! insista le grand prêtre, et sa voix puissante éveilla des échos sous la voûte immense.

— On ne peut les nommer! répondit Jussiave avec un accent de frayeur. Ils apparaîtraient à l'appel de leur nom et l'on mourrait à leur seule vue!

— C'est juste. Quiconque invoque les Trois par leurs vrais noms verra le vrai visage de leur colère. Nul mortel n'a survécu, parmi ceux qui l'ont tenté. Alors, ne prononce pas leurs vrais noms. Dis-moi les noms qui sont permis. Nomme les Trois, et tu verras l'apparence qu'ils ont quand ils se manifestent dans notre monde, ces images qui sont à leur réalité ce que leurs noms seconds sont à leur véritable identité.

---

* *Hiérophante*: prêtre antique.

Jussiave prit une profonde inspiration et se décida à répondre.

Les Trois sont...

Les yeux du prêtre sombre brillèrent derrière son masque.

— ... Belphéron, le Tourmenté, qui hante les abysses, l'Enragé, le Dément, le Tueur, l'Incendiaire, l'Exterminateur, Celui qui allume les guerres et répand la peste...

Un grand bruit emplit la salle, comme la rumeur d'une mer en furie se brisant sur des récifs. La verrière se colora peu à peu de vert, évoquant le jour glauque qui règne sous les flots. Une vision apparut devant le grand vitrail, une tête démoniaque, rappelant vaguement celle d'un poisson. Elle était cornue, elle prolongeait un corps épais couvert d'écailles sombres et muni de nageoires. De sa bouche molle de batracien sortit un gargouillement furieux, tel un rot obscène lâché sous l'eau. Puis l'image s'estompa, comme masquée par un courant d'eau trouble, et il n'y eut plus rien sous la voûte.

Courbé par une violente nausée, Jussiave avait blêmi. Mais il se remit de son effroi et se redressa.

— Nomme le deuxième! dit le prêtre drapé d'indigo.

Rassemblant son courage, Jussiave prononça, d'une voix moins assurée que la première fois:

— Sourador, le Sournois qui guette derrière les nuages, le Malin, le Pervers, l'Hypocrite,

Celui qui fait naître la méfiance et l'angoisse, Celui qui distille le poison et propage le vice.

Un hurlement furieux naquit aussitôt, le souffle glacé d'un ouragan qui fit vibrer la verrière maintenant illuminée d'un bleu cru. Une image vaporeuse se forma, celle d'un aigle gigantesque aux ailes de chauve-souris, armé de mains humaines en guise de serres. Sa tête, répugnante comme celle d'un vautour, avait des yeux cruels. Le sifflement de la tempête se mua rapidement en un chant profond, tel un chœur de voix féminines au ton agressif. En un instant, l'apparition, devenue transparente comme du cristal, se volatilisa telle une fumée chassée par le vent. L'ouragan se calma.

Guillaume avait reculé d'un pas. Il était agité de violents tremblements dus à la peur plus qu'au froid. Il mit un moment à se contrôler et leva à nouveau les yeux vers l'hiérophante.

— Nomme le Premier, le Premier des Trois, ordonna celui-ci.

Jussiave frissonna et resta silencieux.

— Nomme-le! commanda l'homme au masque d'argent.

Guillaume eut une ultime hésitation.

— Aba... Abaldurth, murmura-t-il craintivement.

— Abaldurth! tonna le grand prêtre. Abaldurth, le Mauvais qui est tapi sous terre, l'épouvante, la Souffrance, le Mal, Celui dont les rêves tourmentent l'humanité, Celui qui tue tout espoir, Celui qui apporte la peur et la douleur, le vide et les ténèbres, Celui qui dispense la Mort!

Une violente déflagration ébranla la salle, telle l'éruption d'un volcan. Elle se prolongea par le grondement assourdissant du tonnerre. La verrière flamboya d'un éclat rouge vif et se fêla, tandis que se manifestait brièvement une silhouette terrifiante. C'était comme une immense pieuvre noire. Ses tentacules, en de longues flammes sombres, cinglaient l'air comme des fouets. L'image disparut dans un embrasement aveuglant.

Guillaume, jeté au sol par le souffle brûlant de l'explosion, perdit conscience un moment. Lorsqu'il reprit ses esprits et put se redresser, il était encore glacé par l'épouvante.

Devant le grand vitrail qui ne luisait plus que d'une lueur mauve, le grand prêtre se dressait encore, inébranlable. Il clama:

— Voilà les Trois Puissances du Mal. Tous les démons et les mauvais génies leur sont soumis. Belphéron, Sourador, et celui qui les domine tous, Abaldurth, l'incarnation du Mal!

* * *

Guillaume Jussiave s'éveilla en faisant le geste d'écarter un agresseur. Mais il était seul, seul avec les dernières images de son cauchemar.

Il reprit rapidement son sang froid. Dans l'obscurité de sa chambre, il se mit aux aguets, alerté par quelque chose d'inusité. Bientôt il acquit la certitude d'une présence étrangère, peut-être dans le salon voisin. Il n'avait pas entendu de glissement furtif, ni un bruit quelconque fait par un cambrioleur. Non, la présence qu'il percevait était surnaturelle. Et malveillante, il le sentait.

Sans bruit, il quitta son lit et se dirigea vers la porte. Il l'entrouvrit. Le salon-bibliothèque n'était éclairé que par une veilleuse posée sur un meuble de coin. La pièce semblait déserte, et pourtant la présence invisible était quelque part. La porte donnant sur le bureau était entrouverte. Le libraire se dirigeait vers elle, lorsque son attention fut attirée par un phénomène extraordinaire. En passant devant le miroir encastré au-dessus du foyer, il y vit une faible lueur. Comme il n'y avait pas de lampe devant, elle ne pouvait venir que de *derrière* la glace.

Jussiave s'approcha, tandis que la lueur s'estompait rapidement. Il eut la vision fugitive d'un gros livre, extrêmement ancien, dont la couverture usée gardait la trace d'un titre cabalistique. L'image disparut comme un fantôme, mais le vieil homme avait eu le temps de reconnaître le volume.

— Les Phrases de l'Oracle ! murmura-t-il, stupéfait.

Immédiatement, Jussiave sentit le besoin d'aller voir si ce précieux livre, qu'il cachait tel un trésor, était toujours à sa place. Il avait la certitude qu'on l'avait examiné, qu'on l'avait manipulé.

Il alla prendre sa veilleuse et revint devant l'une des étagères encastrées dans le mur. Remontant la mèche de la lampe, il examina la moulure d'un montant, une rosette, qui tournait d'un quart de tour lorsqu'on ouvrait le compartiment secret. Elle n'avait pas bougé: nul n'avait donc accédé à la niche ménagée derrière la bibliothèque. Pourtant, le libraire, tourmenté par un soupçon, manœuvra un verrou secret sous un rayon. Il saisit la tablette à pleines mains et la tira vers lui. Une section de quatre étages avança de plusieurs centimètres, puis pivota sur des gonds pour s'ouvrir vers l'extérieur comme une porte.

La niche ainsi découverte, un espace d'environ un mètre cube, contenait une épée vieille dans son fourreau, appuyée au fond, un grand écrin plat, et un livre posé sur un petit lutrin incliné.

La première chose que remarqua Guillaume (et il éloigna la lampe pour s'assurer qu'il n'avait pas d'hallucination), ce fut un phénomène comme celui apparu dans le miroir. Pendant un bref moment, la couverture du volume sembla vaguement lumineuse. C'était comme si une feuille avait été détachée, posée à plat sur le bouquin fermé et illuminée faiblement. Ou encore, comme si une moitié du livre avait acquis une transparence totale permettant de voir jusqu'à ce feuillet particulier. La vision de cette page s'estompa rapidement avec la lueur, et le vieil homme ne vit plus que la couverture de cuir usé.

Les Phrases de l'Oracle était un livre extrêmement rare. Seule la bibliothèque vaticane en avait détenu un exemplaire et c'était peut-être le même, murmurait-on, qui se trouvait maintenant en la possession de Jussiave. On présumait qu'il avait écrit à l'époque babylonienne, dans un alphabet cunéiforme* et en une langue que seuls quelques initiés connaissaient. Il s'ouvrait à l'envers, comme un volume qu'on lirait en commençant par la fin, il n'était écrit que sur la page de gauche et il devait se lire, colonne par colonne, de haut en bas puis de bas en haut, en allant de la droite vers la gauche. Protégé sans doute par un charme, il était en assez bon état pour son âge, bien que ses pages, faites d'un genre de papyrus, fussent brunies et que son encre eût pâli.

C'était un livre maudit. Rescapé, disait-on, de l'antique bibliothèque d'Alexandrie, il avait mystérieusement échappé aux bûchers de l'Inquisition, au Moyen Âge. Il avait été détenu tour à tour par des sorciers célèbres et d'autres plus obscurs. Il contenait un savoir occulte que convoitaient satanistes et nécromanciens, et que toutes les religions dénonçaient comme blasphématoire. Le commun des mortels ignorait

---

* Écriture employant des signes en forme de coins, de clous ou de fers de lance, combinés de diverses manières.

son existence; bien des savants la niaient, par peur des choses qui y étaient évoquées; quelques occultistes rêvaient au privilège de le feuilleter. Guillaume Jussiave l'avait montré à peu de gens, et nul ne savait s'il avait déjà osé parcourir en entier son texte maléfique. Il contenait des révélations si bouleversantes que celui qui avait l'audace de le lire au complet, prétendait-on, s'exposait à sombrer dans la folie.

Sur l'une des pages les plus effrayantes de ce livre, on voyait une représentation de la trinité du Mal: un démon sombre à corps de poisson, un aigle translucide aux ailes de chauve-souris et aux serres en forme de mains, une pieuvre ténébreuse avec des flammes noires en guise de tentacules. Belphéron, Sourador et Abaldurth. Leurs noms véritables étaient écrits en toutes lettres dans ce livre maudit, noms dont la seule vue remplissait le lecteur de terreur. C'est cette page illustrée que Guillaume venait justement d'entrevoir, ou son image spectrale, en regardant le livre caché dans la niche.

Immédiatement, le libraire pensa à Philippe Frégeau, le jeune peintre à la recherche d'images de démons. Sûrement, si une image pouvait lui fournir son inspiration, c'était celle-là. Mais Jussiave ne lui aurait jamais montré *Les Phrases de l'Oracle*.

C'est alors qu'il se souvint que le titre du livre maudit avait été mentionné par l'un des participants à la conversation que Frégeau avait écoutée clandestinement. Avait-il deviné que Jussiave possédait ce volume? Espérait-il y trouver les illustrations qu'il cherchait?

Et cette présence surnaturelle que le libraire avait perçue en quittant son lit? Elle s'était éclipsée lorsque Guillaume avait ouvert la porte camouflée de la cachette. Nul doute qu'elle était liée aux phénomènes lumineux dont le libraire avait été témoin. Peut-être la proximité de cet esprit avait-elle influencé les rêves de Jussiave et suscité les images cauchemardesques de la trinité maléfique?

Sans toucher au livre, Guillaume Jussiave replaça la section d'étagère qui dissimulait la niche. Il remit la rosette en position normale. Puis, quittant le salon, il traversa son bureau pour se rendre dans l'arrière-boutique, éclairée par une seule veilleuse. Il alla à une fenêtre, l'ouvrit et se pencha au-dessus de la rue. À l'est, le ciel était déjà moins sombre. Mais la ville était encore plongée dans l'obscurité. Rue Didace, quelques réverbères brillaient. Jussiave vit nettement la silhouette d'un homme assez grand et mince qui tournait à l'angle de la rue d'Auxonne et y disparaissait. Il ne douta pas que c'était Philippe Frégeau, car sa chevelure bouclée était bien celle de l'artiste, tête nue malgré le froid de cette nuit d'avril. Frégeau était donc bel et bien revenu, cette fois jusque dans le salon même du libraire; peut-être s'était-il retiré en entendant Jussiave s'agiter ou marmonner dans son lit.

C'était décidé, Jussiave allait se renseigner davantage sur Philippe Frégeau auprès du propriétaire de la galerie Sichère.

* * *

— Ah, Siméon, vieux lascar, voilà deux heures que je te cherche! Finalement on m'a dit, au Petit Mage, que je te trouverais peut-être ici.

«Ici», c'était la boutique de Philanselme, brocanteur, antiquaire, horloger. Et l'homme qui cherchait Siméon, c'était Guillaume Jussiave. Ces trois personnages se connaissaient bien. Ils étaient de vieux complices.

Philanselme n'avait presque plus de cheveux sur son crâne osseux, maintenant, et ceux de Siméon Lescar se faisaient plus rares aussi. Siméon approchait des soixante ans et son apparence ne s'améliorait pas: il avait connu des revers et il se négligeait depuis un an ou deux. Il n'avait plus d'appartement et logeait dans une modeste chambre à l'auberge dont son frère était propriétaire, au Petit Mage.

Après un peu de conversation légère, Guillaume Jussiave aborda la question qui l'amenait:

— Dis-moi Siméon, est-ce que tu fréquentes encore ta nièce à Granverger?

— Oui, elle me reçoit chaque été, cette chère femme.

Il y avait de l'ironie dans sa réponse, et un peu d'amertume. Il enviait peut-être la richesse de sa nièce, Stéphanie Davard-Spencer, veuve d'un riche Anglais dont la fortune lui avait permis de racheter le manoir de Granverger, la demeure de ses ancêtres. Mais cela lui permettait d'en savoir long sur les Davard, et Guillaume Jussiave avait parfois des questions à lui poser à leur propos.

— J'ai su que le peintre Philippe Frégeau faisait aussi de la sculpture.

— Grand bien lui fasse.

— Ses sculptures, il les signe Davard-Frégeau.

— C'est normal: sa mère est une Davard.

— Tu ne m'as jamais dit que tu le connaissais! s'exclama Jussiave.

— Eh bien, maintenant je te le dis. Sa mère et Frégeau père ont émigré en Nouvelle-Angleterre voici environ trente ans. Mais le fils, l'artiste, est revenu à Neubourg adolescent.

— Il fréquente les Davard à Granverger?

— Il connaît son cousin Patrice Davard, mais ce Patrice a quinze ans de plus que lui, alors ils ne se fréquentent pas assidûment, je crois. Mais je ne suis pas au courant de tout, Guillaume: Davard pourrait visiter Frégeau à Neubourg et je n'en saurais rien.

Le visage de Guillaume Jussiave était devenu soucieux. Ce lien de parenté aggravait l'incident de la veille. De plus en plus, le libraire soupçonnait que Philippe Frégeau s'était introduit dans son salon avec plus d'un motif. Feuilleter *Les Phrases de l'Oracle*, oui, mais sans doute aussi **voler** le précieux livre. Et le voler pour quelqu'un d'autre, peut-être. Pour Patrice Davard, par exemple: c'était connu qu'il s'intéressait à la sorcellerie.

Dès demain, Jussiave ferait poser un solide verrou à la porte de son salon

* * *

— Vous avez vu ce qu'il est en train de nous peindre là? chuchota l'abbé Brault sur un ton indigné.

Dans la cathédrale, les visages de deux ou trois dévotes se tournèrent vers lui. L'archevêque, à qui il parlait, répondit sur un ton apaisant:

— Ma foi, il peint la fresque que nous lui avons commandée. Trois démons terrassés par le Christ.

— Le Christ! siffla le vieil abbé.

Brault était maigre à faire peur; son visage affreusement ridé n'était qu'un crâne garni de peau. Il branlait constamment la tête et cela faisait osciller les longs lobes de ses oreilles.

— Parlons-en, du Christ! Frégeau ne lui a laissé que le haut de la fresque, là où la lumière se rend à peine. Et voyez le, ce Christ: bâclé, avec un air niais! Comment croire qu'un tel benêt terrasserait trois démons?

Dans la pénombre de la nef, les deux ecclésiastiques, debout dans une allée, examinaient la grande fresque. Après des mois de travail, elle était en voie d'achèvement, au-dessus de l'autel latéral est. Au sommet de l'échafaudage, Philippe Frégeau œuvrait seul, revêtu d'un sarrau gris. Il semblait absorbé par son ouvrage. L'abbé Brault continua ses critiques en agitant une main décharnée:

— Alors que les démons... Ah, les démons, il y a travaillé! Il leur aura consacré presque tout son temps! Ils occupent les deux tiers de la fresque, et ils sont triomphants!

— Très impressionnants, j'en conviens, murmura monseigneur Alfiori, un homme un peu gras, au visage affable, aux cheveux de neige et aux yeux bleus d'une grande douceur.

— «Impressionnants?» Ils sont horribles, oui! On ne peut les regarder sans frémir: on dirait qu'ils vont bondir sur nous! Celui de gauche a un air sournois qui donne la chair de poule. Celui de droite me met mal à l'aise, comme un idiot agressif et laid. Quant à celui du centre, on ne peut le voir sans être glacé d'angoisse. Déjà, plus personne ne prend place de ce côté, avez-vous remarqué?

— L'odeur de la peinture, sans doute...

— Et quels sont ces démons, de toute façon? Un gros poisson cornu mâtiné d'un crapaud, un vautour-chauve-souris translucide, une pieuvre noire aux yeux cruels. Ils n'appartiennent pas du tout à la mythologie chrétienne. Des monstres païens, voilà ce qu'ils sont, oui!

— Moi je les trouve très... évocateurs, avança l'archevêque, l'air grave.

— On sait bien. Vous croyez autant au Diable qu'en Dieu, sinon plus.

— Monsieur l'abbé! répliqua sèchement Monseigneur.

Il était connu qu'Alfiori n'avait pas toujours été dans les bonnes grâces du pape. Un homme de sa valeur aurait pu être cardinal à cinquante ans et même avant. Pourtant, il n'avait accédé à l'archevêché de Neubourg que depuis quelques années, alors qu'il avait soixante-dix ans. C'est qu'au début de son sacerdoce, à l'époque où il travaillait à la bibliothèque vaticane, il avait été impliqué dans une affaire louche concernant des livres antiques mis à l'Index. Il avait été éloigné de Rome et exilé au Québec.

Après une pause, l'abbé Brault reprit, sur un ton hargneux:

— Et où avez-vous déniché ce peintre, d'abord?

— J'ai vu ses œuvres à une exposition et j'ai été frappé par son style.

Décidant qu'il n'avait pas de comptes à rendre à un de ses chanoines, l'archevêque mit un terme à la discussion:

— Et puis, comme le mur devait être refait, il fallait bien une fresque. Maintenant elle est presque terminée, et il faudra vous en faire une raison, mon cher abbé. Pour l'instant, n'avez-vous pas d'autres tâches qui vous appellent?

Le père Brault s'éloigna avec un air de dignité offensée, sous le regard hostile de quelques vieilles qui avaient été dérangées par sa voix sifflante. Si l'archevêque avait coupé court à la discussion et éloigné son interlocuteur, c'est qu'il avait vu s'approcher un homme d'âge mûr, arborant barbe et chevelure grisonnantes. Il portait un manteau bleu marine et tenait à la main une casquette de marin. L'homme aborda monseigneur Alfiori, qui le salua :

— Bonjour, mon bon Guillaume ! Quelle dévotion inattendue vous amène ici ?

Le visage du libraire resta grave malgré le ton plaisant d'Alfiori :

— Cette fresque... Vous rendez-vous compte ? demanda-t-il à voix basse.

— Vous n'allez pas m'en faire le reproche à votre tour ?

— Est-ce vous qui avez choisi le sujet ?

— Le Christ terrassant trois démons ? Non, l'idée n'était pas de moi.

— Et le peintre, qui l'a engagé ?

— C'est moi. Je voulais voir ce que ce Frégeau pouvait faire en matière d'art religieux.

— « Art religieux ! » Eh bien, vous êtes servi ! Il vous avait montré des esquisses avant de commencer la fresque ?

— Les esquisses étaient assez vagues, je dois dire. Et le résultat final nous a tous étonnés. Certains n'aiment pas du tout.

— Je comprends ! Je vous prédis que les bancs de ce côté ne seront pas souvent occupés. Bien des fidèles préféreront rester debout à l'arrière plutôt que de venir s'agenouiller sous les regards de ces démons.

L'archevêque hocha la tête gravement.

— J'avoue qu'ils sont effrayants à contempler.

— Mais enfin, chuchota le libraire, comprenez-vous bien qui ils sont?

Alfiori le regarda dans les yeux et prononça finalement:

— Je crains que oui.

— Belphéron, Sourador et Abaldurth... et fichument bien dessinés, encore!

— Shh! s'effraya Monseigneur en amorçant le geste de se signer. Ne prononcez pas ces noms ici!

— C'est pourtant vous qui les avez introduits dans votre église! Vous n'avez pas pensé aux conséquences?

— Allons, allons! Des images, de simples images!

— Des images maudites, oui! Et exécutées par Frégeau, elles deviennent quasi vivantes! Savez-vous ce qu'il a pris pour modèle?

Intrigué, le prélat attendit la réponse.

— Une illustration des *Phrases de l'Oracle*.

L'archevêque pâlit et ses yeux s'agrandirent.

— Vous l'avez laissé voir ce livre? finit-il par demander.

— Non, il y est parvenu par un moyen inexplicable... sûrement pas naturel. Il a réussi à ouvrir et feuilleter le grimoire sans y toucher. Je le soupçonne d'être magicien. D'ailleurs, son talent est diabolique.

Soudain, Alfiori sembla dépassé par toute cette histoire.

— Assez parlé de tout cela aujourd'hui, chuchota-t-il, énervé. La fresque est terminée, elle restera là !

Et il s'en alla vers le couloir menant à l'archevêché. Il prit à peine le temps de s'agenouiller en passant devant le maître-autel. Jussiave reporta son regard vers le peintre perché sur l'échafaudage. Il surprit sur son visage un sourire ironique, mais Frégeau tourna la tête immédiatement pour continuer son travail.

* * *

Dans la grisaille de l'aube, en ce matin frais de septembre, Philippe Frégeau traversait le parc en face de la cathédrale. Instinctivement, il ralentit le pas lorsqu'il aperçut l'homme vêtu de sombre qui le regardait venir, debout au bord d'une allée, et qui semblait l'attendre. Dans la pénombre qui régnait sous les grands arbres, l'inconnu, immobile, lui parut inquiétant, tel le messager d'un destin fatal.

Mais le peintre n'arrêta pas de marcher et, en approchant, il reconnut bientôt le libraire Jussiave, coiffé d'une casquette de marin. Ses yeux bleus avaient un regard grave, même sévère. L'artiste aurait voulu passer à côté en faisant mine de l'ignorer, mais il sentit sur son bras une main puissante.

— Un mot, si vous n'êtes pas trop pressé, fit le libraire d'une voix bourrue.

Que puis-je pour vous? répliqua le jeune homme, cherchant à se donner de l'assurance en prenant son air narquois.

— Vous êtes bien matinal, monsieur Davard-Frégeau.

— Le soleil du matin éclaire l'endroit où je travaille. Les vitraux me font une lumière multicolore, mais c'est quand même mieux que la lueur des lustres.

Le libraire demanda, d'un ton brusque:

— Savez-vous bien quels risques vous avez pris en reproduisant l'image des Trois?

— Allons donc! Quels risques? demanda Frégeau d'une voix mal assurée.

— On n'invoque pas impunément le nom des Trois. C'est la même chose pour leur image. Certains diraient que votre acte est sacrilège, que vous vous êtes attiré la colère des Trois.

— J'en doute. Et si c'était vrai, sachez que je ne suis pas tout à fait démuni. J'ai un allié.

— J'ai une petite idée de son identité. Sans que vous le sachiez, je vous ai observé pendant que vous peigniez. Il y a un confessionnal commodément situé: je m'y suis installé. J'ai fini par reconnaître, de loin, une sensation que j'avais eue cette fameuse nuit où vous êtes revenu dans ma librairie. La sensation d'une présence... surnaturelle. Un genre d'esprit. Dirons-nous... un démon familier? C'est peut-être de lui que vous vient votre talent... disons, votre « vision »?

98

Ébranlé, Frégeau ne savait que répondre. Le vieil homme comprit qu'il avait vu juste, que Frégeau avait eu une aide surnaturelle pour voir dans la niche secrète derrière l'étagère de son salon-bibliothèque, pour y voir sans y entrer ni ouvrir la porte cachée.

— Et c'est peut-être votre cousin Patrice Davard qui vous a fourni cet « allié » qui vous permet de voir à travers les murs? Quel service vous a-t-il demandé en échange? Me voler *Les Phrases de l'Oracle*?

— Je n'ai pas touché à votre précieux livre.

— Parce que je ne vous en ai pas laissé le temps.

Philippe Frégeau fit mine de se remettre en route.

— Cet « allié », continua le libraire en le retenant, qu'il soit votre serviteur ou plus probablement votre maître, vous devriez savoir qu'il n'est qu'un esprit inférieur, bien moins puissant que ses créateurs, les Trois. Il est seulement leur valet.

L'artiste pâlit. Jussiave avait formulé des vérités que Frégeau lui-même avait envisagées sans oser en imaginer les conséquences.

— Je ne sais même pas, dit sombrement le libraire, si le fait de détruire la fresque vous sauverait du châtiment que vous vous êtes attiré.

Assez désemparé, le jeune homme repoussa Guillaume et se mit à marcher très vite vers la cathédrale. Il s'efforça de rire tout haut des avertissements du libraire. Mais son rire avait un accent tragique.

Gravement, Jussiave le regarda marcher vers la cathédrale et s'engouffrer sous le porche. Un long moment il resta immobile à contempler la façade monumentale de l'église, son triple portail gothique, sa grande rosace, les deux tours carrées de ses clochers. L'éclairage oblique du soleil soulignait de manière inusitée les mille détails de la pierre, un peu effacés par une fine brume.

Enfin, le libraire se décida à quitter le parc. Il se dirigea vers l'escalier qui, se glissant entre la cathédrale et le monastère des Cilisquins, descendait vers la basse-ville. En arrivant au sommet des marches, il vit qu'un grand banc de brouillard déferlait sur le faubourg St-Imnestre et la basse-ville, venant sans doute des marécages sur la rive est de la Paskédiac. La vapeur, assez dense, atteignait le promontoire de la haute-ville lorsque Jussiave la vit.

Le libraire se mit tranquillement à descendre l'escalier. Bientôt le brouillard s'épaissit autour de lui. Jussiave ne voyait plus jusqu'au prochain palier. Il saisit la rampe et continua sa descente. Il atteignit le palier où les marches de pierre étaient remplacées par un escalier de fer tournant presque à angle droit vers la droite et descendant, parallèle à la falaise, vers la petite rue de l'Engoulevent.

Depuis son arrivée dans les parages de la cathédrale, un pressentiment tourmentait Jussiave. Maintenant, en l'espace d'un instant, cette impression venait de se transformer en certitude. Une puissance maléfique était à l'œuvre tout près. Le silence était devenu inquiétant, tendu, comme à l'approche d'un orage. Guillaume s'arrêta, se retourna et leva les yeux vers la cathédrale. Il ne vit que le roc gris sombre de part et d'autre de l'escalier. La grande église n'était qu'une masse indistincte dans le brouillard.

Alors un bruit éclata, le fracas d'une vitre défoncée. Il y eut un bref cri de terreur, une voix masculine rendue aiguë par la terreur. Il y eut trois secondes de silence angoissant, où rien ne semblait se passer. Puis survint un choc accompagné d'un tintement de verre brisé. Ensuite une série de heurts mous: déboulant l'escalier de pierre, le corps désarticulé de Philippe Frégeau vint s'arrêter sur le palier, aux pieds de Jussiave.

* * *

L'échafaudage où travaillait le peintre était au-dessus de l'autel latéral. À un bout, il était voisin du dernier vitrail ornant le transept* est de la cathédrale. Ne trouvant pas de meilleure explication, le coroner dût conclure que Frégeau avait fait un faux pas en prenant pied sur la plate-forme après avoir gravi l'échelle. En vacillant, il aurait instinctivement cherché un appui à sa gauche, aurait défoncé le vitrail et aurait basculé dans le vide. Sa chute avait été de quelques dizaines de mètres. Pour être victime d'un tel accident, il fallait que l'artiste fut bien malchanceux, mais ce n'était pas au coroner de juger de la fortune du défunt.

Une vieille femme était venue prier tôt ce matin-là. Elle prétendit avoir vu, juste après l'accident, un petit démon noir, de la taille d'un enfant et agile comme un singe, quitter l'échafaudage en ricanant et bondir de corniche en colonne pour disparaître dans le jubé. Mais, bien sûr, personne ne la prit au sérieux.

---

* *Transept* : partie d'une église ou d'une cathédrale qui se trouve à droite ou à gauche de l'espace central, la nef; on y trouve généralement un autel latéral.

9

Le masque d'Agathe

Comment je suis au courant de ces faits? Je te l'ai dit, Simon, ton grand-oncle Gustave Philanselme se trouve être le beau-frère de Charles, mon défunt mari. Nous sommes restés en contact, même après la mort de Charles. Les journaux ont rapporté la mort de Philippe Frégeau, comme ils avaient traité de sa fameuse exposition et de sa fresque, puis Guillaume Jussiave a révélé un peu de cette histoire à Gustave, qui m'en a parlé... Et moi j'ai su une portion de l'histoire... par d'autres moyens.

De toute façon, je ne révèle jamais comment je sais les choses que je sais. Sinon, qui me paierait pour lui dévoiler sa destinée?

Nos destinées sont toutes reliées entre elles, comme les fils d'une toile tissée ou d'une tapisserie. Lescar, Philanselme, Jussiave, les Davard et les Michay, les Bertin et les Vignal, Simon et moi, d'autres gens que vous ne connaissez pas... Tous liés, d'une façon ou d'une autre.

Petit monsieur, je vois que tu as écouté mes avertissements à Simon: tu gardes les mains derrière ton dos. Mais tes yeux furètent partout. Tu es intrigué par les choses qu'il y a sur cette tablette: les amulettes*, le collier de griffes d'ours et le collier de crocs de loup, le crâne de belette en pendentif, le bracelet de petits coquillages et le bracelet d'osselets. Tout ça me vient de mon grand-père Sicayé, qui est mort au dix-huitième siècle: tu vois comme c'est ancien. Chacun de ces talismans a sa propre histoire.

Le masque?

Je vois que tu n'as pu retenir tes doigts, petit garnement: le masque était sous un bout de toile, et tu n'aurais pas dû le voir.

Le masque est bien plus ancien que les amulettes. Non, n'y touche plus. Il est sculpté dans le bois, comme tu peux voir, et il a déjà été peint. Il devait être encore plus effrayant. Il servait durant les danses rituelles de mes ancêtres, au temps où il y avait un village Abénaqui au bord de la Michikouagook, voilà deux siècles. Le village s'appelait Aïténastad.

Tu es très sensible, petite demoiselle. Oui, je suis troublée. C'est dans ma voix que tu as senti ça? Oui, ce masque me trouble toujours: à une époque, il a été habité par l'esprit de ma tribu, et je crois qu'il en reste encore quelque chose, après un demi-siècle.

---

* *Amulette*: Petit objet qu'on portait sur soi pour se protéger des maladies, des dangers et des maléfices.

Vous raconter cette histoire? Oh non, Simon, pas cette histoire-là.

Du moins pas aujourd'hui.

Quatre histoires de suite, ce n'était pas assez pour un après-midi? Allez, le jour tire à sa fin et vos parents ne veulent pas vous voir dans les rues de St-Imnestre à la tombée du soir. Rentrez chez vous, petite demoiselle, petit monsieur, et toi Simon, mon beau Simon.

Revenez me voir, le mois prochain ou l'an prochain. Revenez, et je vous conterai d'autres histoires...

Table des matières

Collection

Jeunesse — pop

JUSTICIERS MALGRÉ EUX, Denis Boucher
L'INCONNUE DES LAURENTIDES, Monique Sabella
LES INSURGÉS DE VÉGA 3, Jean-Pierre Charland
BLAKE SE FAIT LA MAIN, Claire Paquette
PIONNIERS DE LA BAIE JAMES, Denis Boucher
LE PIÈGE À BATEAUX, Louis Sutal
L'HÉRITAGE DE BHOR, Jean-Pierre Charland
RAMOK TRAHI, Denis Boucher
DIANE DU GASCOGNE, Sylvestre Zinnato
PIÈGE SUR MESURE, Marie Plante
UNE...DEUX...TROIS PRISES. T'ES MORT, Jean Benoit
LE TOURNOI, Jean Benoit
LA ROULOTTE AUX TRÈFLES, Joseph Lafrenière
POURSUITE SUR LA PETITE-NATION, Claude Lamarche
ÉNIGME EN GRIS ET NOIR, Huguette Landry
LE TABACINIUM, Gaston Otis
LE BIBLIOTRAIN, Joseph Lafrenière
INNOCARBURE À L'ENJEU, Marie Plante
L'ÎLE, Pauline Coulombe
CHANTALE, Joseph Lafrenière
LA BARRIÈRE DU TEMPS, Marie Plante
VIA MIRABEL, Gaston Otis
ORGANISATION ARGUS, Daniel Sernine
LE FILS DU PRÉSIDENT, Alain Bonenfant
LE TRÉSOR DU SCORPION, Daniel Sernine
GLAUSGAB, CRÉATEUR DU MONDE, Louis Landry
GLAUSGAB, LE PROTECTEUR, Louis Landry
KUANUTEN, VENT D'EST, Yves Thériault
L'ÉPÉE ARHAPAL, Daniel Sernine
LE FILS DU SORCIER, Henri Lamoureux
LA CITÉ INCONNUE, Daniel Sernine
ARGUS INTERVIENT, Daniel Sernine
HOCKEYEURS CYBERNÉTIQUES, Denis Côté